CHICA DA SILVA

ROMANCE DE UMA VIDA

JOYCE RIBEIRO

CHICA DA SILVA

ROMANCE DE UMA VIDA

GERAÇÃO

1ª edição — Junho 2021

Grafia atualizada segundo o Acordo Ortográfico da Língua Portuguesa de 1990,
que entrou em vigor no Brasil em 2009

EDITOR
Marcos Torrigo

DIRETORA EDITORIAL
Fernanda Emediato

ASSISTENTE EDITORIAL
Ana Paula Lou

CAPA, PROJETO GRÁFICO E DIAGRAMAÇÃO
Edinei Gonçalves

IMAGEM DE CAPA
AhmedKhalil99 / Shutterstock.com

REVISÃO
Marcia Benjamim

CIP-BRASIL. CATALOGAÇÃO NA PUBLICAÇÃO

R367c

Ribeiro, Joyce
Chica da Silva / Joyce Ribeiro. - 1. ed. - São Paulo: Geração Editorial, 2021.

ISBN 978-65-5647-022-1

1. Silva, Chica da, m. 1796. 2. Escravas libertas - Minas Gerais - Biografia. I. Título.

16-30646 CDD 920.9306362
CDU: 929:326

GERAÇÃO EDITORIAL
Rua João Pereira, 81 – Lapa
CEP: 05074-070
São Paulo – SP
Telefax: (+ 55 11) 3256-4444
E-mail: geracaoeditorial@geracaoeditorial.com.br

Impresso no Brasil
Printed in Brazil

Agradecimentos

Esta nova edição é uma realidade graças ao esforço de um time muito talentoso e dedicado. Expresso aqui minha gratidão a todos que me ajudaram a realizar este sonho:

Agradeço a Secretaria Executiva da CPLP (Comunidade dos Países de Língua Portuguesa) pelo suporte e apoio institucional.

Ao Secretário de Estado da Cultura da Guiné-Bissau, Sr. Francelino da Cunha, pelo empenho em fortalecer o intercâmbio entre Brasil e África.

Ao presidente da Associação dos Cônsules Honorários no Brasil (ACONBRAS), Sr. Luis Fernando Del Valle, meus sinceros agradecimentos pelo incentivo em todas as fases do projeto.

Ao Consulado Geral de Portugal em São Paulo, pelo apoio institucional, estímulo e parceria.

Ao presidente da Câmara de Comércio, Indústria, Agricultura e Serviços Brasil/Guiné-Bissau, Sr. Júlio António Aponto Té, pela consultoria internacional, dedicação e fortalecimento.

Ao editor Marcos Torrigo, por me apresentar o universo das publicações, abrindo portas para que esta aventura tão sonhada se tornasse real.

A Editora Geração pela disponibilidade, gentileza e parceria.

Ao meu maior incentivador Luciano Machado, meu marido, parceiro de vida e em todos os projetos, primeiro leitor e grande encorajador.

As minhas meninas Maria Luísa e Lorena, por colorirem, animarem e trazerem a plenitude aos meus dias.

A minha mãe, Mercedes Rodrigues, pela doação, exemplo e amor incondicional.

Ao meu pai, Nilton Ribeiro, pela dedicação, incentivo e torcida.

E aos meus irmãos Otávio Augusto e Luis Gustavo, parceiros fiéis em todos os momentos.

Sumário

Prefácio

Chica da Silva, livre por natureza

Muito diferente da imagem de mulher excêntrica, escandalosa e amoral que foi repassada ao longo dos anos, a verdadeira Chica da Silva tem outros contornos que, aos poucos, vão sendo revelados. É sob essa luz, clara e ampla, que conto a sua história. Como se acompanhasse, no passado, cada um de seus passos. Sem nunca ter saído de seu território, o Arraial do Tejuco e arredores, no auge da prospecção de diamantes, ela foi tão marcante que merece lugar de destaque na história do Brasil, em especial das Minas Gerais. Talvez o fato de ter ousado quebrar padrões de comportamento e de ter conquistado o respeito e o amor de um homem poderoso tenha contribuído para que fossem colados à sua memória rótulos nada satisfatórios e que diminuíam sua real estatura. Uma tentativa, quem sabe, de acabar com a grandeza de sua personalidade.

A Chica da Silva reconstituída era forte. Decidida. Jamais se curvou à servidão que se esperava das mulheres em sua época. E não só às negras, mas também às brancas, era imposta uma autoridade que tinham de acatar, fosse a do pai ou a do marido. Nem mesmo o homem com quem dividiriam a vida e os filhos elas podiam escolher. Chica, na contramão dos costumes, era livre por natureza. Não por acaso bem cedo conquistou a alforria, como uma dádiva do homem com quem viveu mais de uma década e que jamais se casou com outra, mesmo quando foi obrigado a deixá-la, para resolver, em Portugal, difíceis problemas de herança. O desembargador João Fernandes de Oliveira também parece muito diferente do que sempre nos foi contado a seu respeito. Nasceu brasileiro e foi criado nas montanhas mineiras, antes de atravessar o oceano para estudar em Portugal, como convinha ao filho de um abastado contratador, de quem herdou o nome exato.

São muitos os motivos que tornam Chica da Silva, mulher distante de estereótipos, tão relevante até os dias de hoje. Sem nenhum talento para queixar-se ou chorar pelos cantos, fosse qual fosse a dificuldade, ela seguia em frente, altiva. Não se deixava derrubar nem demonstrava sofrimento, por mais que se sentisse massacrada ou esmagada por dentro. Sua missão foi sempre viver da melhor maneira, de cabeça erguida, enfrentando o que fosse necessário e, principalmente, acreditando em si mesma. Era toda feita de autoestima.

Chica não absorveu as falsas verdades que eram ditas obrigatoriamente às mulheres negras, como a de que viveriam sem direito a receber amor, como se o sentimento de um companheiro apaixonado fosse um privilégio destinado exclusivamente às mulheres brancas, não às negras. Superou tudo isso e fez brotar nas mentes tradicionais da época diversos questionamentos. Como uma mulher negra conquistou o amor e a dedicação de um dos homens brancos mais ricos e influentes da época? Como ela merecia isso e, principalmente, por quê?

Quantas são as histórias de mulheres que, sem exposição pública, se assemelham à saga dessa mineira que foi magnificente, mesmo sem se dar conta do que representava. Ter nascido escrava nunca foi um obstáculo para ela, que sempre foi livre até para viver um grande amor, que ficou marcado – como ela – no passado de seu país natal. Ela não se importou com as limitações legais, que impediam o casamento entre pessoas de diferentes classes sociais, nem com o fato de ter muitos filhos não legalizados, mas que teriam a chance de branquear sua origem, como se dizia naquele tempo, para ter direito a um futuro melhor. Ela também não se preocupou com o que os "outros" pensavam. Em fazer o mesmo caminho. Negra nasceu, negra viveu, negra morreu. Transgrediu todas as regras sociais vigentes e mesmo assim conquistou o respeito da comunidade em que vivia até depois de sua morte.

Chica da Silva jamais contou sua própria história. Sem direito a voz, pois era analfabeta como a maioria das mulheres de seu tempo, não escreveu relatos. O máximo que aprendeu foi assinar seu próprio nome. No entanto, tudo o que fez foi tão eloquente que mereceu destaque e passou à posteridade, ainda que, a princípio, de maneira equivocada, graças a críticos que, sem ter convivido com ela ou seus contemporâneos, trataram de criar uma personagem construída a partir de todo tipo de preconceito. Aos poucos, a imagem correta de Chica da Silva emerge do passado. Com os belos contornos de uma pessoa de vanguarda, muito avançada para a época em que viveu.

Infelizmente, o preconceito vigora até hoje, da mesma forma que a luta contra o cruel engano de contrapor pessoas com base na coloração de sua pele. Agora, cada vez mais reconhecida pela capacidade de transformar sua realidade e de ser protagonista de sua própria vida, Chica da Silva é um exemplo de resistência, mesmo que nunca tenha manifestado esse desejo. Deixa para a posteridade a lição de como é possível enfrentar o que parece um destino imutável, com determinação que não reconhece obstáculos, simplesmente disposta a viver. Um direito inalienável de todos – independentemente de cor, origem, credo.

As mudanças sociais são lentas. E quanto mais se avança, mais difícil se torna o retrocesso. Ainda há muito por que lutar, então que seja com o espírito livre e leve de Chica da Silva – uma inspiração para o gênero humano.

Meu objetivo com este livro é mostrar o poder transformador da confiança em nós mesmas, que gerou frutos até em uma época em que a valorização feminina sequer existia, e a certeza de que somos donas de nossas histórias, o que pode provocar reviravoltas, mudar os rumos de comunidades e de países.

Hoje, podemos nos inspirar em tantas chicas que estão à nossa volta, que lutaram incansavelmente, sem esquecer o amor próprio, o amor pelos homens que mereceram sua confiança e, principalmente, o amor pelos filhos, nosso combustível vital.

Viver à luz de exemplos como o de Chica da Silva é a nossa missão. Temos de lutar pelo amor, pelo respeito, pelo direito de sonhar; lutar contra a servidão e o comodismo; lutar pelo direito ao amor, em todas as suas nuances, com a coragem capaz de inspirar homens e mulheres do século XXI, como eu, como você, como todas as pessoas que nos cercam.

Joyce Ribeiro

Prólogo

Tão longe, de mim distante

A partida de um grande amor

Quando fecha a porta de entrada, ela reconhece todos os ruídos da casa. Nenhuma diferença. O vaivém de mucamas, o choro do filho caçula, o movimento na sala e na cozinha para desmontar a primeira refeição daquele dia, o café coado, o leite puro e os doces de colher. Os cheiros do amanhecer também são os mesmos, mescla do sereno da noite e dos temperos da horta, das árvores do pomar, das flores agrestes. A luz começa a se infiltrar pelas frestas das janelas, ainda cerradas. O casarão recende à rotina. Ela também está acordando para as tarefas de sempre. Sabe que tem uma jornada cheia, mas agora não se sente capaz de mais nada, exceto caminhar lentamente até o quarto que, há instantes, compartilhava com o homem que recém-desapareceu de seus olhos.

Desaba sobre a cama, que ainda guarda o cheiro dele. E chora. Copiosa, silenciosamente. Deixa que os soluços a dominem. O corpo, tão afeito aos movimentos do amor, agora se contorce em agonia. Antes fossem as dores do parto. Com essas, ela sabe lidar tão bem, graças aos anos de experiência. Agudas, lancinantes, uma hora acabam. Para dar à luz. As dores que sente nesse momento, ao contrário, trazem a esterilidade. Nada produzem senão mais e mais sofrimento. As dores que sente são desconhecidas, afetam a carne, mas dela não se originam. As dores que sente queimam algo impalpável. Uma parte de seu peito vai secando como se lhe faltasse oxigênio e sangue. O coração, descompassado, está prestes a parar, de esgotamento.

Como sobreviver aos próximos dias e noites sem o homem com quem conviveu anos e anos a fio? Antes, essa realidade não tinha lhe passado pela cabeça. Afinal, a presença dele preenchia tudo, não deixava espaço para conjecturas ou tristezas. Nem era de seu feitio andar pelos cantos em lamúrias. Desde muito pequenina, faz por merecer a vida tantas vezes negada a seus iguais, mortos sem completar seus primeiros meses. Forte, de corpo e de espírito, ela não nasceu para sucumbir. Tudo o que aprendeu, com suas próprias experiências, foi tomar fôlego e seguir em frente, fosse qual fosse o desafio. Não que tivesse clareza desse destino, mas tudo que fez o confirmou. Ela não veio ao mundo para ser vítima, mesmo que na origem assim estivesse determinado, sem que nada pudesse fazer a respeito.

Viver mais de uma década com aquele que conheceu como seu dono, o homem que a comprou, foi tão natural quanto nadar no rio, andar morro acima sem cansaço, sentir a brisa fria das madrugadas nas Minas Gerais. Ele nunca se prevaleceu da propriedade do corpo daquela mulher, algo legitimado desde muito nas terras do Brasil, o além-mar dos portugueses. Abriu uma exceção, pois como outras criaturas é um senhor de escravos. Ela também é senhora de escravos. Assim são os tempos na colônia ultramarina. Negros vivem sob o tacão. Nas senzalas. Nas correntes. Servem para trabalhar, como animais de tração nos afazeres sem fim das fazendas, porém são capazes de lidar com o cascalho de aluvião e suas surpresas. São treinados para aguçar a visão, atentos ao que interessa a seus donos. Entre as pedras comuns, podem se esconder diamantes com seu estranho brilho original. Para que deles se extraia toda a maravilha é preciso lapidar.

E lapidar é também o que a rotina do dia a dia faz com a mulher que chora convulsamente, sozinha em sua cama. Aos poucos, ela aprendeu os ofícios que se espera de seu gênero e também os que as senhoras brancas de seu tempo jamais almejam, submissas a seus maridos, quando deixavam a poderosa tutela paterna. Começou pelo esmero nas tarefas domésticas, em especial as de forno e fogão. Sabe, como poucas, encantar com seus quitutes. E, quando não os produz, é porque confia no que ensinou muito bem a quem fará em seu lugar. Da mesma forma que preparou suas mucamas para cuidar de todos os cantos daquele casarão de amplos ambientes, imensas janelas, belos utensílios e parca mobília – só o estritamente necessário para garantir o conforto.

Quando conheceu seu amor de mais de uma década, já vivera a rotina de mãe e dona de casa, como outras escravas. Tinha um filho pequeno, fruto da obrigação em lugar do afeto. E outros mais pariu, ao longo dessa união que agora entra em pausa, sabe-se lá durante quanto tempo. As horas passam devagar no sertão. E ela nada conhece além das vizinhanças do lugar onde mora. Seu mundo se resume a montanhas sem fim. Não tem a menor ideia do que seja o oceano por onde navegará seu companheiro, para chegar a Portugal, ele que nasceu em terras do Brasil. Na Vila do Ribeirão do Carmo, tão perto do Arraial do Tejuco, o centro da corrida diamantina, e lugar onde viveram juntos, como marido e mulher, até este momento.

Então, como medir o tempo e o espaço? Ela sabe mais ou menos quanto demora se deslocar até a fazenda Buritis, pela posição do Sol. Se os dias são claros, abertos, é mais fácil. Mas quando é tempo de chuva, só dá para perceber extremos: o lusco-fusco do entardecer, prenunciando a noite, o horizonte acinzentando, perto do amanhecer. Há épocas em que as noites custam a passar. Serão mais demoradas mesmo? Outras em que o sol parece ter pressa de aparecer e, quando a pino, induz à preguiça, ao sono depois de uma boa refeição. Lá fora tudo fica tão brilhante que ofusca os olhos.

Entre soluços, a negra mistura sensações e percepções. E uma grande certeza. Sim, ele voltará. Mas quando? Chegará com a aurora ou o ocaso? Até que o veja de novo, terá de cuidar sozinha de tudo: casa, minas, escravos, fazenda, filhas na escola bem longe e a quem é preciso visitar, filhos menores em crescimento no casarão, obrigações de moradora do Tejuco, missas, procissões, novenas. Sim, e contas. Como fará, analfabeta, para bem desempenhar o trato com os negócios? Sabe assinar o nome, porém não o que está escrito antes dele. Como outras mulheres de seu tempo, não aprendeu a ler e fazer conta. Mas instintivamente sabe o que é melhor fazer. Tanto que seu amor partiu sem cuidados. Deixou tudo nas mãos da mulher em quem confia plenamente, com a ajuda de administradores, assim como ele sempre contou com gente que o auxiliava em seus muitos afazeres. Ele parte, certo de que não tardará a compartilhar de sua companhia. Ao contrário, reafirmou sempre a intenção de resolver, o mais brevemente possível, todas as pendências que tivesse de enfrentar. E quanto seria esse breve? Quantas luas? Quantos sóis? Quantas chuvas? Quanta secas?

Os caminhos são perigosos nessas trilhas de montanhas. É preciso seguir vagarosamente, com olho atento no terreno e mãos firmes na montaria. Ela conhece alguns caminhos, mas nada além do mundo a que está confinada. Nunca viajou para a sede da Colônia, que fica à beira-mar. Não sabe o que é mar. Até imagina uma grandiosidade, mas reduzida a uma paisagem que deixa entrever as linhas costeiras, longe da imensidão de água em constante movimento, entre marolas, ondas e vagalhões. É para onde seguirá seu consorte, depois de muito percorrer em terra firme. Ela desconhece as armadilhas que aguardam os viajantes em caravelas, as tempestades, os desvios de rumo, os naufrágios. Seu amor jamais menciona os percalços. Sempre fixado no que o diverte e excita. É um homem concentrado nas coisas boas da vida.

A lembrança daquele jeito zombeteiro traz a sombra de um sorriso no rosto lavado de lágrimas da mulher. O primeiro olhar, a carícia urgente, o delírio, a breve paz depois do amor. Ali, no quarto que dividiram, parece estranho que surjam certas recordações, no perigoso limite entre o que pode fazer muito bem e o que pode fazer muito mal. Qualquer descuido seria uma queda sem fim no abismo do sofrimento, onde ela já se encontra, mas precisa reunir forças e voltar à tona. Entregar-se seria negar a possibilidade do retorno de seu amor. E ela precisa estar pronta para a volta, o instante em que, em vez de fechar a porta e dar as costas para uma cena que não deseja ver, correrá feliz para abri-la e ir ao encontro do homem que virá para ficar, sem mais pendências no Reino.

Não foi o que ele mesmo disse? Vou, resolvo tudo e venho a seu encontro. Nascido nas cercanias do populoso e fervilhante Arraial do Tejuco, ele precisa daquelas paisagens agrestes para ser feliz. Conhece as estações, o tempo das chuvas e o da seca, tão importante para a descoberta de preciosidades. Terra bendita, aquela, em que a riqueza também aflora sem que seja preciso enveredar pelo interior do solo, em busca de veios extraordinários, como fazem os mineradores de ouro, embora haja também quem o procure em aluviões. Seu amor confia nos diamantes. A eles se dedica e deve sua imensa riqueza. E, agora, ela terá de ficar de olho no pessoal que vai cuidar das lavras a que ele ainda tem direito, não se sabe por quanto tempo. Corre o boato de que a Coroa pretende acabar com o sistema de contratação.

Por mais que a dor tente subjugá-la à inércia, ela sabe que tem de reunir forças para assumir o que lhe cabe. O solar até funciona de maneira autônoma. Mucamas sabem muito bem desempenhar suas tarefas. Há uma organização no dia a dia. Mas o garimpo, esse tem de ser acompanhado de perto, para que os escravos não façam corpo mole nem caiam na tentação de guardar alguma pedra, na vaga esperança de comprar uma carta de alforria. Assim como ele fazia, ela terá de passar por lá, com olhos de ver minúcias, para lembrar aos escravos quem representa o senhor ausente. Ela não tem o direito de se eximir da responsabilidade assumida. Reúne forças para enfrentar o peso daquele dia – o primeiro sem seu amor.

Aos poucos, sente que o corpo se acalma, a extrema tensão é diluída e transformada em uma espécie de resignação. Tem alternativa? Para ela, não. Só conta com ela mesma. E tem sido assim ao longo dos dias. Os anos de concubinato oficial com seu amor lhe trouxeram muitas tarefas. Ser dona de seu próprio nariz tem um preço, e ela paga sem queixas. Lamentar-se nada lhe acrescenta. Ao contrário, diminui. Em vez de as pessoas a apontarem, dizendo "lá vai ela, teúda e manteúda", conta com o respeito de quem acompanha suas lidas e a competência da comerciante que faz jus à sua fama, no Tejuco.

Uma fama que a distingue de outras negras forras[1] de seu tempo, embora também sejam independentes e proprietárias de casas e escravos. Ela sobressai pela força, diante das adversidades. Pela persistência obstinada. Pelo amor próprio. Pela identidade inconfundível. E é graças a tudo isso que recobra o domínio de si. Os espasmos de choro tornam-se mais e mais espaçados até desaparecer. Completamente. E assim, na imobilidade de quem acaba de levar o luto ao limite máximo de sua resistência, ela começa a levantar da cama. Ninguém ousou se aproximar. Nenhuma palavra foi dita. E os ruídos da casa são os de sempre. Os cheiros anunciam os preparativos para o almoço e lá fora os pássaros fazem sua natural algazarra.

Tudo está igual ao que sempre tem sido. Tão igual que nem parece haver uma ausência básica. É como se aquele homem com quem ela divide a cama e a mesa tivesse apenas saído para o trabalho diário. Ela, no entanto, não procura se enganar. Sabe que a realidade é outra. Sem pressa, levanta-se e enxuga o rosto com as costas da mão. O gesto é ríspido. Como se impregnado de raiva. Há muito ressentimento em seu olhar, que aos poucos adquire outra expressão. Muito diferente da que ali estava quando ela fechou a porta e se recusou a observar o grupo que seguia junto de seu amor, quando ele se afastou lentamente, pelo íngreme calçamento do

1. Negros forros eram assim chamados porque tinham sido libertados da escravidão por uma carta de alforria. (N.E.)

vilarejo. Com ele seguiram quatro filhos do casal, mais o que era só dela, com seu outro senhor. Vão estudar no Reino, o destino de todos os jovens varões de famílias abastadas. Acenar, em sinal de adeus, era demais para ela. Adeus não era a palavra certa para o momento. Foi uma despedida, sim, mas passageira. Tem certeza. Não demora e ele estará de volta.

E vai encontrar suas propriedades cuidadas e em situação ainda melhor do que agora. Os filhos que ficaram, educados e prontos para novos desafios, quem sabe também vão mudar para o Reino. As meninas são letradas. Quem sabe serão encaminhadas para casamentos de verdade, não amancebadas como a mãe. Toda a prole de alguma forma estará livre das origens que poderiam reduzir suas perspectivas de vida. Ela vai se empenhar para que os vestígios da escravidão desapareçam nos atalhos da burocracia e da rede de influência que os poderosos tecem com esmero. Sabe que seu amor fará o mesmo, enquanto estiver no Reino. Tem poder suficiente para ter o próprio rei como interlocutor.

Chica da Silva, a negra, não fala com a realeza. Traz em si a própria nobreza. Na altivez e na atitude. Espinha ereta, sai do quarto para as tarefas que a esperam. Entra, assim, majestosa, no período de espera – não pelo próximo filho, mas pela volta de seu amor. Certa de que saberá – mesmo sem receber a visita de nenhum mensageiro – quando ele estiver se aproximando, de volta a seu aconchego.

1

Ladrilhar com pedrinhas de brilhantes

O nascimento de uma escrava e de uma paixão

Nada está mais longe da sensação de aconchego do que o ambiente de uma senzala. E há inúmeras espalhadas pelo Brasil do século XVIII. Algumas, no porão infecto e sombrio de casas senhoriais, outras em vilarejos perdidos no meio das montanhas, em áreas de difícil acesso. Milho Verde é um desses. Nada além de um conjunto de taperas de pau a pique, situado em um pequeno planalto, à beira do riacho Fundo, e povoado por gente que se dedica à mineração de ouro, já em declínio, e diamantes, esta sim uma aventura instigante e mais recente. Promissora, em especial no período inicial, quando ainda não comunicada oficialmente à Coroa Portuguesa, sempre ávida por impostos. A notícia da existência de tanta riqueza à flor da terra já atrai muitos aventureiros para algumas áreas mais populosas. Aquela, porém, pouco se expande. No centro do núcleo de palhoças, fica a singela igreja de Nossa Senhora dos Prazeres, construção que se distingue das demais pela cruz no alto do telhado e pelos sinos alinhados à direita, no lado externo, sob uma varandinha coberta. Todas as crianças são batizadas ali.

A escrava Maria da Costa sente as dores do parto na senzala, não muito longe da igreja, e dá à luz a uma menina, já condenada ao cativeiro. As condições de higiene são precárias e a criança – como qualquer outra de sua origem –, depois de cortado de qualquer jeito o cordão umbilical, é apenas banhada, pois água não falta, e envolvida em panos rústicos. Não por acaso, muitos recém-nascidos sucumbem na primeira semana, dizimados pelo que o povo chama de mal dos sete dias, o tétano. Contra esse algoz não há remédio, nem prevenção, mas a filha de Maria, apesar da frágil aparência, escapa desse perigo, tem saúde e vinga, mamando vorazmente – é sua única chance de sobrevivência. Instinto natural. Recebe o nome de Francisca, sacramentado no batismo, uma cerimônia oficiada pelo capelão Mateus de Sá Cavalcanti, na capela do lugarejo. Em seu registro de nascimento consta como pai Antônio Caetano de Sá, capitão das ordenanças da Bocaina, Três Cruzes e Itatiaia, distritos de Vila Rica, um homem branco que veio do distante Rio de Janeiro. Pouco se sabe dele, além do nome no registro. Parece ter sido tragado pelos desvãos da história, nesse tempo em que só os documentos oficiais oferecem informações sobre as pessoas, sempre blindadas, enigmaticamente, pelo jargão burocrático. Às vezes até alterado por aqueles que têm algum poder para apagar vestígios do que consideram inadequado, como as marcas da escravidão, de que especialmente as mulheres negras, pardas e mulatas do século XVIII passam a vida tentando se livrar.

Maria da Costa, a mãe de Francisca, era africana, originária da Costa da Mina. Como outras esguias mulheres subtraídas de sua terra natal, tem a pele mais clara – não o negro retinto e luzidio que outros cativos ostentam por terem nascido em diferentes áreas daquele imenso continente – e uma beleza que encanta os europeus. Foi levada para o vilarejo ainda criança, como propriedade do negro forro Domingos da Costa, mas não é a única, no povoado, a ter esse mesmo nome, muito comum nesses tempos. Por isso é confundida, sem que se chegue a uma conclusão definitiva, com uma homônima também escrava, boquirrota e sem estribeiras, que antes de se unir em concubinato, havia estado com vários homens, provocando escândalo, iras e inveja. Não raro, essa mulher destrambelhada se envolveu em brigas corporais. Certo mesmo é que fosse uma ou fosse outra, conquistou a liberdade e, com o passar dos anos, o respeito de seus contemporâneos. Uma evolução que, nesses tempos, depende não só de trabalhar sem tréguas para comprar a alforria, como de ter forças para mudar o destino que lhe impuseram no navio negreiro que a trouxe ao novo mundo. Fez o que foi preciso para livrar-se dos grilhões. Em certo momento da vida, mudou-se para o Arraial do Tejuco, em casa de sua propriedade.

Regalias como essa foram conseguidas aos poucos, pelos cativos, fadados a um regime instituído para garantir a colonização portuguesa, que nos primeiros séculos se baseou no cultivo da cana-de-açúcar e na predatória extração de bens minerais de alto valor. Para realizar esse tipo de trabalho era preciso trazer de fora mão de obra qualificada, porque os nativos da terra nova não davam conta do recado. Nômades, mesmo escravizados nunca trabalhavam da forma que os colonizadores esperavam. Conheciam profundamente a natureza e seus mistérios. Escapavam, embarafustando mato adentro de um jeito que feitores não conseguiam acompanhar. A solução tinha sido trazer escravos negros das colônias portuguesas localizadas na África, como faziam outros países com possessões distantes. Para perpetrar essa desumanidade, a coroa lusitana contou com a anuência do papa Nicolau V, que editou uma bula em 1454, concedendo-lhe exclusividade de viagens marítimas e de converter pagãos ao cristianismo. Os escravos tinham de ser batizados, querendo ou não. Alguns anos antes dessa permissão, o primeiro governador geral da Colônia, Tomé de Sousa, havia aportado nas terras do Brasil com os primeiros escravos. Traficar negros, por mais brutal que fosse, acabou virando um negócio muito lucrativo. Levas e levas de cativos eram desembarcados em portos como os de Recife, Salvador, Rio de Janeiro e Santos. Já chegavam como aprisionados literalmente: com todos os sinais de escravidão, incluindo grilhões e correntes. Eram vendidos em praça pública, depois seguiam para servir a seus senhores em diferentes lugares, em uma terra que desconheciam totalmente, incluindo os sertões mais distantes do litoral, como aconteceu com Maria da Costa.

Quando dá a luz à Francisca, Maria ainda é escrava, condição passada à descendente, que se torna propriedade do mesmo senhor Costa, durante seus primeiros anos de vida. A menina se fortalece na dura rotina de seus iguais. Ainda sem atribuições próprias de seu destino, segue atada às costas da mãe, em amarrações de tecido, para a lida no campo. E é dessa perspectiva que absorve as primeiras imagens desse que será seu mundo, feito de aragens, ventanias, cheiro de mato, umidade, vaivém constante, porque às escravas como sua mãe não é permitido nenhum descanso. Acordam antes do amanhecer e se recolhem a seus catres tão logo terminam as muitas e muitas obrigações diárias, ao cair da noite. A prole vai crescendo entre o campo aberto e a sombria senzala, metáfora concreta. E tão logo assume o controle sobre o espaço em que se movimenta e desenvolve a capacidade de aprender tarefas caseiras, a pequena e franzina Francisca está pronta para servir a seus senhores. Desempenha trabalhos próprios às mucamas, responsáveis pelo bom andamento da casa – da limpeza dos cômodos ao esmero no preparo das refeições, cuidados com a horta, lavagem e arejamento de roupas.

Nada afeita à preguiça, ela vai crescendo sem se queixar do cativeiro, mas presta atenção a tudo o que se passa ao seu redor. Aprende pela observação da realidade que pode mudar esse destino, como fazem muitas escravas envolvidas com homens brancos, com quem vivem e têm filhos. Não que isso implique união oficial, algo proibido pela Coroa Portuguesa, que só admite matrimônios entre pessoas do mesmo patamar social. Assim, a ela, Chica, só restaria o futuro de unir-se a um escravo. Não é o que almeja. Até porque, com o passar do tempo, começa a atrair atenção, sobretudo pela aparência naturalmente sedutora. É uma jovem bela e saudável, com atrevimento no olhar e atraente movimento dos quadris. Tudo faz parte de sua natureza agreste, do puro instinto. Em dado momento da adolescência, é vendida ao médico português Manuel Pires Sardinha. Natural do Alentejo, ele se aventurou a viver na Colônia, mas não à beira-mar, no Rio de Janeiro, e sim nas montanhas, bem distantes do litoral. O ponto final de sua viagem é o Arraial do Tejuco, um povoado mais consistente do que o pequeno Milho Verde. Um centro urbano cada vez mais importante e populoso, que recebe levas de aventureiros atraídos pela notícia de que naquela área a riqueza está à flor do solo. Não requer a abertura de caminhos no interior da terra. Basta educar os olhos para distinguir, entre cascalhos de ribeirões e rios, as pedras que têm valor.

Sardinha viera para o Brasil atraído pelo ciclo do ouro, que encheu os cofres da realeza, no além-mar. Sabe que a mineração é arriscada, mas promissora. E conta com outros trunfos, para manter seus negócios. Pode exercer sua profissão de origem, a medicina, rara nos sertões profundos da terra nova, e também aluga escravos, tão necessários a outros aventureiros. Cidadão respeitado, como legítimo representante do que se considera a nata dos "homens bons", assume o posto de juiz na Câmara Municipal de Vila do Príncipe, sede da Comarca do Serro do Frio – unidade administrativa da capitania hereditária do Espírito Santo. O Brasil ainda está dividido em áreas dadas a nobres do Reino para povoamento, exploração com recursos próprios e administração, em nome da Coroa. Esses capitães donatários ampliam as oportunidades para quem queira buscar fortuna.

É o caso do médico Sardinha. Não um jovem, mas homem feito, entrado em anos. Solteiro, dono de um bom plantel de escravos, ele segue o costume de outros de sua posição: toma cativas como concubinas. Em certo momento, mantém simultaneamente duas nessa situação, ambas com o nome de Francisca, para escândalo público e repreensão oficial do representante da Igreja. Mais do que viver maritalmente, com elas tem filhos: Simão, de Francisca, a parda, e Cipriano, de Francisca Pires, a crioula. A primeira, filha de Maria da Costa, dá à luz em 1751.

Simão é um bebê forte, como foi sua mãe, que ainda não tem um documento com o sobrenome Silva, que a marcou por toda a vida e é destinado, genericamente, a quem não tem uma origem definida, embora ela tenha. Todos a conhecem apenas como Francisca, a parda. Cuidar desse filho se agrega às responsabilidades que assume naturalmente. Sabe que tem de levá-lo, durante os primeiros anos, para onde quer que vá.

É sua fonte de alimento, tal como durante todos os meses de gestação.

Jovem e decidida, Francisca, a parda, não se atemoriza com o fato de ter um filho não reconhecido oficialmente, de uma união que só escandalizou a sociedade local e as autoridades eclesiásticas portuguesas por ser um caso de bigamia. Sabe que essa é a vida que lhe cabe. Assim como a faina própria do cativeiro. Os tempos são assim. E esse é o mundo que conhece, não o dos europeus católicos. É bem verdade que foi obrigada a iniciar-se na religião deles, que proíbe o sexo antes do casamento e também por prazer – a Igreja só admite a união carnal para procriação. Mas deitar-se com seu senhor faz parte das tarefas que cabem às escravas, da mesma forma que lavar roupa na beira do rio ou buscar água fresca e transparente na fonte. Nada sabe de enamoramento. Não é disso que é feita sua união compulsória com o doutor Sardinha. Nem por ele nutre uma atração dessas que fazem as moças suspirarem atrás dos balcões de treliça das moradias, uma forma de mantê-las a salvo de olhares dos passantes e de arejar os cômodos, permitindo que elas admirem a paisagem, o movimento do arraial, quando sobra algum tempo para isso. Em verdade, até mesmo para as moças brancas, casar-se com um homem amado não faz parte do que as espera, embora as românticas sonhem com esse futuro. Geralmente, as uniões oficiais são de conveniência, tratadas pelo chefe da família e comunicadas às solteiras disponíveis. Muitas vezes, as casadoiras nem conhecem o homem com quem vão constituir família. E quando conhecem, têm de sucumbir a seu destino, ainda que dele não gostem. Não têm o direito de rebelar-se. A união acontece quer queiram, quer não.

Francisca, a parda, não faz conjecturas, apenas segue sua sina. Com Sardinha, suas perspectivas são as de continuar como concubina. Ele jamais se refere a outra possibilidade. É seu proprietário. E, nessa condição, tem o poder de mandar em seu presente e em seu futuro. Rebelar-se geraria sofrimento, e ela precisa de todas as suas forças para seguir em frente. Tem um espírito livre, como o de um pássaro que ainda não sabe voar, mas, quando chega o momento, tenta e consegue.

Sem que ela desconfie, o ocaso de sua vida nesse cativeiro, que se estendeu por no mínimo as duas primeiras décadas de vida, já se delineia no horizonte montanhoso da região onde nasceu e viveu até os treze anos de idade, na agreste Fazenda da Vargem, um homem que ela nunca viu e que está prestes a retornar para lá. João Fernandes de Oliveira é o nome dele, igual ao do pai, o sargento-mor, nascido em um arraial da Vila de Barcelos, no Minho, no norte de Portugal. Solteiro e inclinado à aventura, esse português intrépido enfrentou as mazelas da travessia do oceano com o sonho de enriquecer com mineração, no auge do ciclo do ouro. Conseguiu o que queria e muito mais, ao se fixar nas terras das Gerais. Assim que reuniu o valor suficiente com o ouro, comprou uma fazenda em uma área bem distante dos povoados e diversificou as atividades: minas e agricultura. Mercado não lhe faltava. Foi além: criou uma sociedade para recolher o dízimo e enviar ao rei. Tinha credenciais para isso. Tornou-se alguém de extrema confiança da Coroa, um eficiente e atento administrador de tributos. Aos poucos, ampliou mais ainda suas oportunidades de negócio, que incluíam até a função de testamenteiro. Antes de completar trinta anos, o bem-sucedido homem de negócios casou-se com Maria de São José, nascida no Rio de Janeiro e filha de prósperos comerciantes portugueses. Em 1727, na Vila do Ribeirão do Carmo, o casal teve o primeiro filho, justamente o que recebeu o nome igual ao pai, que enriqueceria muito mais enquanto o primogênito crescia livre e solto na paisagem agreste do sertão, antes de começar a ser preparado para assumir a missão de cuidar de boa parte dos negócios paternos.

Doze anos depois do nascimento do filho, o sargento-mor João Fernandes conseguiu, em leilão público, um contrato para exploração do potencial do recém-criado Distrito Diamantino. Tornou-se, então, um contratador, com direito a prospectar diamantes ao longo de quatro anos, com a mão de obra de seiscentos escravos. Esses eram os termos de seu compromisso. A demarcação que lhe coube ficava na região do Tejuco. Para honrar a empreitada, precisou de um sócio que somente entrou com o capital e logo voltou a Portugal. O que parecia ser um excelente negócio, foi um grande problema, sangrando os recursos do sargento-mor que, em vez de acumular lucros, fez, isso sim, uma vultosa dívida. Entre as dificuldades que encarou estava a necessidade de contar com uma quantidade muito maior de escravos do que fora calculada, a princípio, porque encontrar pedras preciosas foi se tornando cada vez mais difícil, pela exploração predatória das áreas mais favoráveis. As que lhe coube foram se exaurindo. Era preciso contar com novas, para ter alguma chance de recuperação. Para piorar suas perspectivas, em 1746, ele ficou viúvo. A legislação era transparente: com a morte de um dos cônjuges, parte dos bens do casal tinha de ser distribuída a seus filhos varões. Assim, repentinamente, o sargento-mor endividado viu minguar ainda mais seus recursos. Quem ficou com a herança da mãe foi o jovem de dezenove anos João Fernandes de Oliveira. Às cinco irmãs dele – Ana Quitéria de São José, Maria Margarida Angélica de Belém, Rita Isabel de Jesus, Helena Leocádia da Cruz e Francisca Joaquina do Pilar – foram destinados valores costumeiros para as moças de seu tempo, incluindo dotes.

Sem recursos para honrar seus compromissos, o pai encontrou uma forma de adiar o que seria um fim desastroso para sua antes brilhante trajetória. A melhor saída seria encontrar uma segunda esposa, capaz de trazer recursos para equilibrar suas combalidas finanças. Não tardou a casar-se de novo, por conveniência, com a relutante e rica viúva Isabel Pires Monteiro. Em ótima situação financeira, ela não tinha motivos para aceitar o pedido. Se ela pudesse fazer valer sua vontade, declinaria. Embora financeiramente forte e com independência para viver sua vida sozinha, ela não teve forças para resistir à forte pressão contrária a sua resistência. Nada menos que o governador Gomes Freire de Andrade, em pessoa, deixou bem claro que faria muito gosto em vê-la unida a seu amigo João Fernandes e manifestou esse desejo com tamanha veemência que a família da senhora a convenceu a capitular. Entre as obrigações que teve de aceitar, nessas segundas núpcias, Isabel passou todos os seus bens – incluindo imóveis – ao novo marido, com a ressalva de receber de volta o que cedera, caso enviuvasse. A manobra vitoriosa, e que bem demonstrava a influência do sargento-mor, destinou-se a restabelecer a credibilidade do grande devedor, que assim ganhou tempo para pagar seus credores e aumentou enormemente a quantidade de suas propriedades.

João Fernandes de Oliveira, o filho, já estava bem longe de sua terra natal. Havia deixado o interior de Minas para estudar no Rio de Janeiro e, depois, em Portugal, na universidade. Esse era o destino dos filhos de famílias abastadas. Não havia, no Brasil, escolas superiores. O jovem decidiu-se pelo curso de cânones, disposto a exercer direito canônico e civil. Envolvido em seus estudos, concluiu o bacharelado em 1748, mesmo ano em que recebeu o importante título de Cavaleiro da Ordem de Cristo, uma honraria que aumentava o prestígio da família no Reino e que exigia considerável investimento. Assim distante, o jovem não acompanhou as desventuras paternas, que já envolviam um quarto contrato de exploração de diamantes, sem que as dívidas dos anteriores tivessem sido saldadas, embora o patrimônio do sargento-mor continuasse intacto e acrescido dos bens de sua segunda esposa.

O casal passou a morar em Lisboa, na primavera de 1751. A mudança aconteceu porque João Fernandes pretendia acertar todas as suas contas diretamente no Reino. Ele não chegou a concluir seu testamento no Brasil, como era praxe entre os endinheirados prestes a atravessar o oceano, uma medida de simples precaução, para que não restassem dúvidas sobre quem teria direito aos bens, no caso de uma eventual necessidade de partilha. Deixou, então, em aberto uma questão que poderia causar dificuldades aos herdeiros no futuro.

Embora tivesse filhas, caso morresse, seu patrimônio seria partilhado entre a viúva e o primogênito varão, que permanecia em Lisboa. O jovem João Fernandes havia concluído os estudos com distinção e iniciara uma carreira brilhante. Por méritos próprios, não apenas pela influência paterna, ele era uma figura de relevo na Corte. Já em 1752, um ano depois do regresso do pai ao Reino, ele passa a ostentar o título de desembargador do Paço. Reúne todas as condições para continuar vivendo na Europa, com muito prestígio e bons recursos, mas essa vida tão confortável está prestes a dar uma virada.

Em janeiro de 1753, entra em vigor o quarto contrato de seu pai para exploração de diamantes. Não disposto a voltar ao Brasil, o sargento-mor atribui a responsabilidade ao rapaz, que aceita sem queixas. O jovem parte para seu destino, rumo às terras coloniais, enfrentando novamente os perigos já conhecidos para chegar a seu destino, tão próximo da vila onde nascera. Faz a travessia marítima e, depois de um breve descanso no Rio de Janeiro, dirige-se mais uma vez ao Caminho Novo, que liga a bela cidade à beira do Atlântico ao Arraial do Tejuco. Tem de percorrer as trilhas da Serra do Mar e seus precipícios, um desconforto compensado pela beleza do cenário. Sabe muito bem que não se trata de uma viagem para fazer sozinho. Precisa de uma comitiva para semelhante façanha, porque os trajetos são feitos em lombo de burro ou em redes carregadas por escravos, sobre um pavimento irregular e escorregadio em função da umidade. Para o desembargador, tudo isso não constitui obstáculo. Obstinado, enfrenta o percurso, que na ausência de percalços indesejáveis, leva aproximadamente um mês e meio. De fato, tudo corre bem. E ele percebe o grande prazer que lhe causa essa volta. Sente de novo o frescor da paisagem, o colorido da natureza, entre o verde da folhagem e as vibrantes nuances dos pássaros, a sensação de retorno ao ninho de sua alegre infância. A tudo observa com interesse. Uma mistura de aconchego, pelo tanto que conhece do lugar, com excitação pelos desafios que está prestes a enfrentar.

O jovem desembargador chega a seu destino, em setembro, e já fica ciente da situação. Toma providências imediatas para mudar as áreas de prospecção de diamantes, uma vez que as permitidas em contrato estão esgotadas. Demonstra iniciativa, que será sua marca enquanto estiver à frente dos negócios ultramarinos da família. Tem todas as perspectivas que um jovem em sua situação pode almejar. Muito trabalho, de um lado, extrema projeção social, de outro. Ele pode até pensar, quem sabe, em um casamento vantajoso para a conjuntura. Tem tudo o que precisa para viver intensamente, como convém a alguém de sua idade, mas não da maneira como a sociedade local espera dele. Jovens casadoiras acreditam que têm chance de fisgar aquele bom partido, algo tão raro naquelas paragens. Além de simpático, é rico e elegante. Tem o verniz irresistível de uma pessoa que viveu com desenvoltura na corte.

O que ninguém sabe é que ele não sente saudade do Reino e sim das paisagens de sua infância, na bela e produtiva Fazenda da Vargem, uma imensidão de terrenos montanhosos, próximos ao pico do Itacolomi. A primeira pessoa de quem se lembra, nesse retorno, é sua mãe, Maria de São José. Quando a abraçou, na despedida da viagem ao Reino, ele não podia imaginar que jamais a veria de novo. Ela morreu cinco anos depois da partida do filho, que logo trata de visitar a sepultura dela, na matriz de Santo Antônio, um importante marco no arraial. Naquele momento de silenciosa reverência, ele se recolhe em saudosa prece.

João se sente à vontade no Tejuco. Chega em setembro, no final da estação mais seca e favorável à busca de diamantes de aluvião. Em outubro começam as chuvas, transformando aqueles confins em lamaçais e fazendo com que os límpidos riachos ganhem alguma correnteza. Não tarda a revisitar os lugares que estão muito vivos em sua memória, bem como as áreas de garimpo que pretende explorar em vez daquelas já exauridas há muito. Tem de se inteirar do que aconteceu depois que seu pai foi embora para Portugal, com mais propriedades, graças ao novo casamento, porém com imensas dívidas. Desconfia de que os responsáveis pelo trabalho de prospecção de preciosidades não foram lá muito honestos ou, talvez, nada cuidadosos. Sim, os impostos cobrados pela Coroa são pesados, mas há detalhes que não estão muito claros na gerência das propriedades, que o pai teve de delegar a terceiros, quando decidiu radicar-se em Portugal com a segunda esposa. João Fernandes tem de enfrentar a situação, seja ela qual for, e encontrar maneiras de lidar com os problemas da melhor forma. Objetivo, concentra-se em soluções. Afinal, é um homem preparado, estudado. Podia ter se rebelado, enfrentando o pai, e não retornar à Colônia. Tinha tudo para fazer uma bela carreira em terras lusitanas. Abdicou sem queixas dessa possibilidade. Escolheu a aventura. E não se arrepende. Sabe que ali, onde nasceu e foi criado, é seu lugar.

Talvez por isso não tarda a dar um jeito em sua vida pessoal. Precisa ter alguém com quem dividir a cama nas frias noites do Tejuco. Como todos os homens ricos do lugar, sabe que antes de tudo precisa ter uma escrava à mão. É um homem em pleno vigor da juventude. Assim que toma conhecimento de que o médico Manuel Pires Sardinha coloca à venda Francisca, a parda, aparece para comprá-la. O primeiro dono da moça talvez queira se desvencilhar de um problema, uma vez que está sendo acusado de bigamia e se compromete a terminar com a ligação ilícita. João fecha negócio com Sardinha pouco tempo depois de se instalar no arraial. Ele permite que a moça – de belas feições e sedutora aparência, como é natural nas descendentes de negras da Costa da Mina – traga o filho Simão, agora com dois anos, um mulatinho viçoso e esperto, muito bem cuidado pela jovem mãe.

Esse não é um tempo em que se fala, abertamente, de amor, um tema para poetas. E são poucos os poetas no sertão profundo. Contudo, no momento em que o desembargador vê Francisca, já como seu dono, percebe que ela não se intimida nem se encolhe. Nada de olhos fixos no chão, como quem se desculpa pela origem, pela pele escura, pelos cabelos fartos sem movimento nem lisura. Ela o encara, sem desafio, mas com viva curiosidade. Observa aquele a quem passa a pertencer como um objeto, uma cadeira, uma cômoda, um animal de carga. E não desgosta. Ainda não tinha visto esse homem em canto nenhum do Tejuco. Chegou faz pouco, mas parece conhecer cada rua, cada viela estreita, cada moradia. Não é de muito falar, como todos naquele mundo de brancos cercados de pretos, mulatos, cafuzos. Ela também não é dada a palavrório.

Não é preciso. Tudo está subentendido no sertão do século XVIII. Francisca sabe que as tarefas que a esperam não se resumem às das mucamas nas lidas da casa. O destino bem claro que teve com o doutor Sardinha vai se repetir, mas agora não com um velho. João está no vigor da idade. Dá para notar até mesmo de esguelha. O que Francisca não sabe, quando segue com ele para outro destino, é que essa é apenas uma parte do que virá. Não a menor nem desagradável, uma vez que ela conhece bem as artes do amor. Seu novo dono lhe reserva surpresas que em breve serão reveladas. Ele chegou em setembro e no Natal desse mesmo ano de 1753 vai dar a ela um presente que, embora almejado, vem muito antes do que a escrava poderia sonhar. É talvez o único sonho a que se permite, porque já viu tantas outras mulheres como ela torná-lo realidade, ali mesmo no Tejuco.

Francisca, no entanto, vive a realidade. Deixa um cativeiro para ingressar em outro. Só que leva consigo o fruto da convivência anterior. Boa parideira, dos anos em que compartilhou a cama com o médico idoso, só teve esse filho que leva amarrado às costas, na melhor tradição das mulheres da Costa da Mina, como sua mãe, Maria. Todos sabem quem é o pai, mas a criança não foi reconhecida oficialmente. O costume nos sertões é outro. No máximo, o que fazem os senhores de escravos, nesses casos, é alforriar os rebentos na cerimônia do batismo. Também deixam algo de herança para os varões concebidos ilicitamente, aos olhos da poderosa e onipresente Santa Madre Igreja. Sempre com o cuidado de mencioná-los como mulatinhos nascidos sob sua proteção, na casa grande. Assim, em todo o caso, tanta atenção virava apenas um ato de caridade, nada mais.

Ao chegar à casa de João Fernandes, Chica se surpreende ao notar que ele não a conduz às dependências dos escravos. Não será aquele o seu lugar, como acontecia na residência do médico Sardinha, onde partilhava a cama do senhor apenas quando ele ordenava. Nos interregnos, ela ficava acomodada com as demais mucamas, nos aposentos lúgubres e insalubres destinados aos escravos. Agora, seus parcos pertences são levados à parte superior do sobrado, onde fica o quarto de João Fernandes, que não esconde sua admiração pela moça. Nem ela por ele. A atração é visível e mútua. Tão natural como respirar, alimentar-se, descansar depois da faina diária. Naquele primeiro dia, ele a toma para si como mulher. E Chica sente, talvez pela primeira vez, como é ser tratada de um jeito diferente. E que, se fazer amor é bom, com ele é muito melhor. Sem pressa e com uma intensidade que dá vontade de repetir. Eles são jovens e belos, nessa entrega que se manifesta em sussurros, suspiros, risadas. Ambos se completam, com uma alegria que transforma o ato em brincadeira de gente grande. E sem nenhuma culpa. Ao contrário, prazer infinito.

Deitar-se com uma mulher que não seja a esposa é, insistem os padres, pecado mortal. Diferente de Sardinha, que temia o poder dos visitadores eclesiásticos e procurava se esquivar de suas investidas em prol da moral e dos bons costumes, livrando-se dos problemas de que era protagonista, o desembargador João Fernandes de Oliveira era católico fervoroso. Em 1742, quando ainda morava no Reino, durante sua formação educacional, até manifestara o desejo de se dedicar à vida religiosa. O pedido que fez para tomar os votos, no seminário, foi declinado. Ele não se abalou com isso, até porque tudo indicava que a negação estava atrelada a dificuldades burocráticas, não a qualquer impedimento quanto à sua qualificação ou à sua integridade moral. Continuou a dedicar-se à universidade, como leigo, e aprimorou-se em matérias fundamentais para sua evolução, como retórica, ética, metafísica, bem como grego e latim, obrigatoriamente ensinados, e importantes para a carreira de direito, que escolheu. Estudos também imprescindíveis a um cavaleiro da Ordem de Cristo, a quem se exigia que comungasse ao menos quatro vezes por ano, se possível em datas importantes para sua religião, como a Páscoa e o Natal. João Fernandes cumpre essas obrigações com desprendimento, certo de que a cada confissão se livra do pecado da luxúria, a que se entrega com entusiasmo, com sua Chica, para quem planeja uma bela surpresa.

Como contratador de diamantes no Brasil, pretende exercer o que aprendeu, bom e dedicado aluno que foi. Tem até o exemplo do pai, que ficou em Portugal e também é católico de fé e prática. Assim, no mesmo ano em que retorna à Colônia, prepara-se para as comemorações do Natal com a devoção que lhe é peculiar. A grande festa da cristandade acontece apenas três meses depois de sua chegada, quando Francisca, a parda, já exerce todas as funções para as quais foi comprada. Dessa vez, com razões diárias para justificar sua natural alegria de viver. Não tarda a receber mimos de esposa, a escrava que ainda é. Nada a ver com a inatividade das matronas brancas, precocemente envelhecidas pela inércia e pelo acúmulo de peso corporal. Afinal, as mucamas fazem todos os trabalhos domésticos. Francisca, porém, é ativa, ligeira, prestimosa. Se não faz esse tipo de trabalho, por já não ter essa obrigação, cuida para que tudo esteja perfeito, tanto no asseio dos ambientes como nas artes da cozinha.

A casa rescende a bom trato. Não há cômodo que pareça merecer menos cuidado. Nem vidro de janela opaco por falta de limpeza. A mesa é farta, da primeira à última refeição cotidiana. Impressiona os convidados, e não falta quem aceite partilhar da generosidade hospitaleira do desembargador, rapidamente integrado à rotina do Tejuco. Tem muito que fazer, na administração dos negócios familiares, mas sempre alguma pressa a voltar para o aconchego de sua mulher. O que mais poderia querer da vida, senão o sossego do lugar agreste onde nasceu e o carinho de uma bela e fogosa concubina? A palavra é essa, bem adequada à realidade. E a situação não é confortável para esse católico praticante e versado nas questões morais. No entanto, mesmo que quisesse alterar tudo, bateria de frente com o impedimento de esposar alguém abaixo de sua condição social. Ainda mais sendo uma escrava.

Tudo o que João Fernandes deseja é viver aberta e normalmente a verdade que, todos sabem, não procura esconder sob falsas aparências. É certo que outros senhores de escravos vivam com as cativas e permitam que os acompanhem à missa aos domingos, mas o desembargador não se contenta com essa permissão velada ao concubinato. Durante os dias de retiro que precedem o Natal, ele reflete sobre a decisão tomada há algum tempo e incomum para seus pares. Vai libertar Francisca, a parda. Compra, com antecedência, a carta de alforria dela e a registra, como é de praxe, na Vila do

Príncipe. A data, porém, não é a do momento em que conclui todos os trâmites burocráticos. Quer que conste no documento o dia 25 de dezembro.

Nada mais eloquente do que esse ato, ao mesmo tempo singelo e grandioso. Escolher o dia de Natal como aquele em que sua companheira vem à luz como uma mulher livre da escravidão. O simbolismo é mais profundo, porque Chica não tem de pagar por isso, como acontece com outras mulheres em semelhante situação. Fica livre da senzala social como um presente a que tem direito, aos olhos de quem conheceu como seu segundo senhor. Essa é a mensagem que ele passa, a do merecimento. Quem sabe até como um pedido de desculpas por não poder assumi-la como a esposa que é, de fato. Todas as conjecturas são possíveis aos olhos de quem vive no Tejuco. E certamente não faltam recriminações: alforriar alguém que acaba de comprar, sem exigir dinheiro por isso, nem sequer o que ele investiu, tão pouco tempo atrás. O desembargador foge aos costumes locais movido pelo amor, e não teme comentários e acusações. Aliás, não dá a menor importância a falatórios. Vive sua vida como bem entende, certo de não dever nada a ninguém. Altivo, sabe muito bem que a opulência e o poder estão acima do lugar comum.

Por falta de registro, não é possível saber o ano exato em que Chica nasceu. Quando conhece João Fernandes de Oliveira, então com 26 anos, a idade dela deve oscilar entre 18 e 22. Não tem nenhum sobrenome, um direito a que não tem acesso nem mesmo no Natal de sua alforria. Mesmo quando foi, no passado, madrinha de batizado de alguma criança, era citada pelo prenome e a coloração da pele, Francisca, a parda; ou a condição, escrava. É o fortalecimento de sua ligação com o desembargador que lhe garantirá mais esse passo na evolução da escala social. Em 1754, ela engravida e, no ano seguinte, nasce a primogênita de uma relação que só faz estreitar-se com o tempo. A menina recebe o nome de Francisca de Paula. No registro de batismo consta que é mulata, de pai desconhecido, e que sua mãe é Francisca da Silva Oliveira. Finalmente, a mulher liberta aparece nos documentos oficiais com uma denominação própria de ser humano. Nasce de novo a parda que a história vai consagrar simplesmente como Chica da Silva. Assim é conhecida no Tejuco e arredores, seu ambiente e seu lar.

Em 1755, seu primeiro filho, Simão, se torna um dos três herdeiros de Manuel Pires Sardinha, que nem assim reconhece oficialmente a paternidade das crianças, a quem cita como "mulatinhos" criados em sua casa e a quem ofereceu amor. Quem, no entanto, dará a esse menino tudo o que um pai pode oferecer é João Fernandes, inclusive as possibilidades para que possa, no futuro, branquear sua origem. Esse é um anseio e um procedimento muito comum entre descendentes de escravos na Colônia. Quem pode e tem condições sociais e financeiras para isso, trata de apagar sua verdadeira origem, para ter o direito a maiores voos, por meio de iniciativas que dificultam a compreensão de muitos personagens importantes, nessa fase da história do Brasil. Sua mãe concorda plenamente com isso. Quer que os filhos ascendam e tenham um lugar de destaque na sociedade. Ela garimpa o seu com muito custo, mas jamais consegue varrer de sua existência a origem escrava, mesmo vivendo plenamente como senhora, e, por paradoxo, senhora de escravos.

2

O amor que tu me tens

A concubina com ares de esposa

Não é de repente que Francisca, a parda, se transforma em senhora de escravos. Enquanto esteve com Manuel Pires Sardinha, nem a si mesma ela pertencia. Contudo, a partir de sua alforria, no Natal de 1753, a mudança vai acontecendo naturalmente. Devagar, como tudo no século XVIII. É também aos poucos que se consagra socialmente como "da Silva", que nem chega a ser um sobrenome nesses tempos coloniais. É uma denominação genérica, aplicada a todos os que não têm uma origem conhecida, embora ela tivesse pai e mãe no registro de batismo. Mesmo assim, ninguém se refere a ela como Chica Oliveira, que de fato é.

Essa condição, a de mulher do contratador, foi praticamente imediata. Se, no momento em que foi comprada pela segunda vez, ela esperava ser chamada à cama de João Fernandes uma vez ou outra, como acontecia com seu antigo senhor, de imediato percebe que agora sua situação é muito diferente. Ali é seu lugar. No quarto, não na senzala. Sim, ela quer, mas tal anseio, por maior que fosse, não bastaria sem a permissão explícita dele, um homem a quem não trata com subserviência. Se ele não a quisesse noite após noite a seu lado, poderia ter a mesma intimidade com outras escravas, sem sofrer recriminações nem correr o risco de ser acusado de bígamo, como Manuel Pires Sardinha. Tem apenas de ordenar a quem quiser, de seu plantel de mulheres negras compradas, que se deitem a seu lado. Não é o que pretende o contratador. Ele deseja a sua Chica tanto quanto ela o deseja.

Todos os movimentos que ele faz, no começo do relacionamento, são para incentivar a independência dela. Embora a alforria sem ônus já tenha sido um transparente sinal dessa intenção, tudo o que se segue só faz confirmá-la. Inclusive a permissão para que comece a ter seus próprios escravos, provavelmente comprados com recursos dele. A primeira escrava de Chica da Silva é, também, uma indicação de como seria seu futuro daí em diante. É a ama de leite Ana, que dá à luz a um varão, Miguel, no final de 1754. Senhoras da sociedade colonial não amamentam seus bebês. Essa é uma tarefa sempre delegada a uma cativa recém-parida, que passa os meses seguintes a alimentar seu rebento e o da patroa, no caso de Chica, a menina Francisca da Paula. Assim, as esposas ficam livres desse cuidado, não porque lhe pareça pesado ou dele queiram se livrar, mas para que possam estar concentradas na missão de engravidar novamente. Esse é um tempo em que ter uma grande prole é importante, para garantir a perpetuação do nome de família. Uma façanha nada fácil, porque muitas crianças não sobrevivem ao primeiro ano, dizimadas por toda sorte de enfermidades. As mulheres têm seus filhos em casa, ajudadas por parteiras ou aparadeiras. Em certos lugares, algumas são até acusadas de prática de bruxaria, pelas atitudes que tomam diante das gestantes, como invocações e conjuros, os quais só elas mesmas conhecem, sem deles fazer muito alarde, mas usados com frequência, tal como rezas e beberagens feitas com ervas. Agem de acordo com o que vão aprendendo na tradição oral. Seus recursos e atitudes são passados de geração a geração.

Entre os católicos, ter filhos é uma missão sagrada do matrimônio. E há o costume de batizar logo os bebês, para evitar o risco de algum deles morrer pagão. Não é diferente com a pequena Francisca, iniciada na religião de seu pai na matriz do Tejuco, a Igreja de Santo Antônio, que se destaca no casario do vilarejo, no largo central. E, sem que tal fato cause o menor constrangimento, o padrinho da menina é nada menos que Manuel Pires Sardinha. Pouco importa o fato de ele ter sido proprietário da mãe da criança e com ela ter tido um filho. Ele ali está como figura de destaque na sociedade local, assumindo as responsabilidades que a Igreja reserva a quem aceita a incumbência, porque é amigo de longa data do pai de João Fernandes, o sargento-mor de quem foi fiador e também procurador, ao longo do segundo contrato assinado para a prospecção de diamantes.

A cerimônia de batismo é um acontecimento marcante. Reúne pessoas importantes da comunidade. Ninguém ousa desafiar o desembargador ao declinar o convite. Ao contrário, comparece de bom grado e até se espanta caso não esteja entre os convidados. E, se a vida em comum com Chica já era muito conhecida antes, porque João Fernandes não a esconde, de agora em diante é publicamente sacramentada com a cerimônia. Como não pode desposar a mãe de sua filha, João Fernandes trata de viver com ela como se o matrimônio fosse de verdade. Ali, no sertão profundo, longe do burburinho da sede colonial, pode se dar ao luxo dessa ousadia. Sem dever satisfação a ninguém. Aliás, não dá a menor importância ao que pensam dele, nem é cobrado por nenhuma de suas ações na vida privada. Outros senhores de escravos têm comportamento semelhante, embora não cheguem ao ponto de alforriar suas concubinas, como ele fez no Natal, nem de festejar um batizado como o de sua primogênita não reconhecida, com a pompa reservada às famílias legalmente constituídas. Menos ainda de conceder os meios para que Chica tenha, agora, sua própria escrava.

Mulheres negras também têm escravas que compram com seus próprios recursos, acumulados ao longo de anos e anos depois de conseguir os necessários para a alforria. Por isso, Chica não vê problema nenhum em iniciar seu próprio plantel na senzala familiar. O mundo em que vive é esse. Ela não conhece nenhum outro. Trata de fazer tudo o que se espera de uma dona de casa, que no recesso do lar prefere trajar-se com o conforto e a simplicidade das roupas feitas de chita. Não há nenhuma novidade, para ela, no conjunto de tarefas diárias – seja as que delega ou assume. A juventude e a energia contam a seu favor. Assim como o carinho que tem por João Fernandes. A paixão, sempre retribuída, é só uma parte do que se espera dela.

Mulher do desembargador, ela também precisa aprender a se comportar em sociedade, e se espelha nos exemplos que têm ao redor. Negras alforriadas e com propriedades costumam exagerar no luxo ao sair em público. Usam vestidos feitos com os melhores tecidos, entre sedas e rendas, e se enfeitam com muitas joias. Assim se apresentam aos domingos, para assistir à missa. Reluzem de tão enfeitadas. E preferem as cores vibrantes em vez do recato habitual e praticamente obrigatório das senhoras casadas legalmente.

João Fernandes gosta desse exagero que a mulher ostenta. Acha mesmo necessário para que todos sintam seu poder e opulência. É assim, também, na Corte Portuguesa, a que ele teve acesso quando morou no Reino. Os trajes fazem parte do cerimonial. Na Colônia não é diferente. Por isso, faz tudo para que Chica tenha um guarda-roupa compatível com sua condição. Não lhe faltam saias vibrantes, corpetes ajustados, anáguas volumosas, chapéus extravagantes e capas luxuosas para se proteger da friagem, quando saem de casa muito cedo. Embora preferisse andar descalça, como durante sua vida anterior, ela agora calça sapatos de seda, ornamentados com pedrarias, laços ou chamativas fivelas de prata, para sair de casa. As joias são de ouro, entre brincos, broches, colares, pulseiras, às vezes incrustados de brilhantes.

O casal mora na rua da Ópera, em um sobrado de adobe e madeira, como muitos outros no vilarejo. Tem uma capela própria, não muito comum em outras casas, e dedicada a santa Quitéria. Na parte de baixo da construção, ficam as dependências para os escravos e as áreas destinadas a serviços gerais. Os senhores vivem no andar superior, muito amplo, claro e arejado, com duas varandas, uma para a fachada e outra para os fundos, com vista para o jardim, o pomar e a horta. A fartura é visível. Ali mesmo se colhe couve, batata, alface e outras verduras, cultivadas com as ervas medicinais tão necessárias para aplacar males passageiros. A variedade de frutas garante as sobremesas de cada refeição, sejam transformadas em doces caseiros, sejam consumidas *in natura*. São laranjas, marmelos, bananas, figos, pêssegos e jabuticabas tão brasileiras. Os aromas se misturam harmoniosamente com os da exuberante natureza ao redor do vilarejo.

Os móveis utilitários variam entre armários, cômodas, baús, mesas, cadeiras. Sempre de madeira maciça nobre e cheirosa. As camas são pesadas e pouco confortáveis. Em compensação, os utensílios contrastam com tamanha severidade. Há pratos de estanho, candelabros, sopeiras, bandejas e talheres de prata, até mesmo na fazenda Buriti, do desembargador João Fernandes. Para servir a mesa, os copos e as taças são de vidro ou cristal e a louça é estrangeira. Em muitos lares do Tejuco, os serviços de mesa são ingleses ou indianos. Para toalhas de uso diário, usa-se mais a chita, mas quando a refeição tem convidados de cerimônia, o tecido que cobre a mesa é de seda ou de linho cuidadosamente engomado.

Acostumada a viver em casas com todo esse aparato, Chica se movimenta com facilidade pelo ambiente, agora não como serviçal. E, aos poucos, percebe que é melhor absorver os costumes da gente branca. É uma tendência entre as mulheres que, como ela, sobem na escala social, mesmo sem o reconhecimento legal. Parece – e está – muito distante do tempo em que partilhava a senzala com o povo de sua origem, mesmo que tenha conquistado a alforria há pouco. A chegada da ama de leite para a recém-nascida Francisca é um marco nessa transformação. Seu destino não é nutrir, mas parir. Compreende perfeitamente e aceita a missão, como tudo o que já viveu antes. Só que agora com muito mais leveza.

Não se rebela diante do que a espera. Tem saúde. E experiência, depois de trazer ao mundo dois filhos. É também uma forma de se legitimar aos olhos dos tejucanos. Ser mulher do desembargador exige que ela se comporte com um recato que aprende a ter, e que não é de sua natureza. Tem de absorver os maneirismos que se espera de uma senhora. Se exagera no vestuário, causando escândalo entre os carolas que frequentam a igreja, comporta-se com dignidade nas missas dominicais. Sua atitude não fica nada a dever a esposas de outros dignitários do lugar. Da mesma forma quando recebe convidados em casa. Sabe o que fazer, e quanto mais o tempo passa, mais se esmera. Aprende a aprender. E gosta desse exercício, que exige dela o abandono de alguns traços duramente sublinhados ao longo de, ao menos, duas décadas de escravidão.

Nos primeiros três anos de vida com João Fernandes, deixa de ser gradativamente Francisca, a parda sem nome, para se tornar, de fato, a senhora Oliveira. Com uma imensa vantagem sobre as mulheres brancas que pouco tempo depois do casamento mostram sinais precoces de envelhecimento, pelo vestuário sisudo e pelo cotidiano sem graça nem afeto. Afinal, a maioria das uniões oficiais é de conveniência, como foi o segundo matrimônio do próprio sargento-mor, pai do desembargador. As mulheres parecem fazer parte do mobiliário, livres apenas na origem, pela cor, mas verdadeiramente cativas por ter de obedecer cegamente aos maridos. Chica não é submissa, nem João Fernandes espera que seja. Ir para a cama está longe de ser um sacrifício ou obrigação, como acontece com as brancas sem amor nem paixão. Vive noites de prazer e dias de leveza.

O que mais pode querer essa jovem que nasceu na senzala senão seguir adiante com a alegria que sempre manifestou, em períodos menos agradáveis? Aos poucos, como foi com sua transformação, ela absorve outra necessidade vital para libertas. Como aceita de bom grado o papel de concubina e parideira, sabe que deve cuidar para que tenham outros horizontes os filhos que gerou até agora e os que ainda pretende ter. Simão e Francisca não nasceram escravos, mas sua origem é a senzala. E esse é um tremendo obstáculo para que sonhem com um lugar de destaque na sociedade colonial, mesmo que sejam educados com todo o zelo. Por mais que se esforcem, sempre serão apartados do mundo dos brancos.

É aí que faz toda diferença a posição do desembargador. Ele garante que fará tudo o que puder para eliminar esse problema. Inclusive no caso de Simão, que nem é seu filho, mas a quem ele acolhe generosa e amorosamente. Pode, sim, usar a influência de sua família na Corte para branquear as crianças, o que significa ter de alterar registros já feitos. Não é uma novidade. Muitos filhos de escravos tentam os mesmos artifícios para ascender na escala social. Os que conseguem, podem se apresentar para cargos e funções de relevo, caso tenham formação compatível com o que aspiram. João Fernandes pode oferecer educação esmerada às crianças. O ensino básico é feito em escolas brasileiras, sempre em regime de internato, ou seja, longe dos pais. Já o superior, quando chegar a hora, tem de ser no Reino, onde estão as universidades, como a que ele mesmo cursou com louvor. João Fernandes tem influência suficiente para conseguir que se apaguem traços indesejáveis do passado. Conhece todos os caminhos e vai usar com muita competência esse trunfo.

Chica da Silva tem consciência do poder de seu amado. João Fernandes não joga palavras fora. Mostra, com atitudes, o que pretende. É uma complexa e sofisticada mistura do brasileiro criado na cultura do sertão minerador, e do jovem que estudou em Portugal, adquirindo conhecimentos e hábitos muito distintos daqueles que vivenciou na infância. É culturalmente refinado. Ama a ópera, tão apreciada na Europa, e o teatro. Sabe os segredos e meandros da administração, porque tem de encarar os negócios da família. Para completar o conjunto, existe a sua religiosidade, também eloquente. Não chega a ser um exemplo, pois é avançado demais para a época, mas tudo o que, em seu comportamento, poderia gerar escândalo é tolerado. Mais que rico, ele tem poder e contatos preciosos.

Vive, sem conflitos íntimos, em uma sociedade escravocrata e obediente à Coroa, à qual tem de pagar pesados impostos pelo direito de garimpar ouro, agora em pleno declínio depois da extração predatória, e diamantes, esta sim uma atividade em franco progresso. O desembargador não é exceção. Cumpre seus deveres de contratador de raras pedras preciosas. Não é missão fácil, consideradas as dívidas que seu pai deixou na Colônia. Mas o filho as encara. E trata de ampliar as possibilidades de enriquecimento, explorando novos cursos de água. Para o trabalho, tem seus próprios escravos, mas conta também com aqueles que aluga, um expediente muito comum para fazer face às necessidades de extensiva mão de obra. Mortes por acidente são comuns, porque é uma tarefa árdua, em terrenos sujeitos a deslizamentos, como consequência dos sucessivos desvios de curso dos rios e riachos. Nem sempre a técnica usada para vencer a natureza é eficaz. Muitos escravos se afogam ou adoecem por permanecer muito tempo com meio corpo imerso na água. Não são raros os casos de pneumonia, pleurisia e resfriado, que podem evoluir para quadros mais graves. Nenhum desses homens é poupado mesmo quando as forças os abandonam. Só os mais fortes resistem, porque os que permanecem em campo aberto não contam com assistência nenhuma. É bem verdade que, para os que vivem no vilarejo e cercanias, há a alternativa de internação no Hospital do Contrato, sob custeio de seus senhores, a depender da boa vontade deles.

João Fernandes não se furta de suas obrigações, ao mesmo tempo em que segue à risca o ritual que se espera de um homem com sua posição social. É preciso aparentar, deixar bem claros os sinais de opulência. E não só na maneira como sua mulher se apresenta em público, sempre com as melhores roupas e ornamentos. Ele também se esmera no visual, ostentando suas camisas de babados, calções, casacos vistosos, sapatos de fivela, bengalas. Não dispensa, ainda, as armas habituais de sua estirpe, entre pequenas espadas e pistolas. Sempre pronto para enfrentar perigos. Sim, porque emboscadas existem.

Gente abastada como ele não anda a pé nas concentrações urbanas, ou nos tortuosos caminhos entre lugarejos, ou nos que conduzem às áreas de garimpo. Ele prefere montar a cavalo, ou se desloca sentado em um confortável palanquim, que seus escravos carregam de um lado para o outro. Quando se dirige a um evento, sabe que tem lugar reservado e de destaque, até mesmo na igreja. Tem preferência no apadrinhamento de casais e de crianças, tanto entre os de sua categoria social como os pobres. Recebe uma quantidade muito maior de convites para batizar bebês do que sua mulher, Chica, pela origem escrava. Mesmo forra e concubina de um homem ilustre, ela não merece a mesma consideração. Ter um padrinho poderoso é importante, porque abre muitas portas. Para os católicos, como o desembargador, assumir essa responsabilidade cria um laço estreito com a criança, que passa a merecer cuidado e atenção. E se João Fernandes segue literalmente esse preceito, como não há de fazer muito mais por seus próprios filhos?

Um ano depois da primogênita, Francisca de Paula, em 1755, nasce João Fernandes de Oliveira, com o mesmo nome do pai e também nutrido por uma ama de leite, a segunda escrava de Chica da Silva. E a mãe, como todas as mulheres de núcleos familiares opulentos, além de ser dispensada da amamentação, fica de resguardo durante três meses. Um cuidado importante, para evitar complicações pós-parto, muito comuns pelas condições em que as mulheres dão à luz, sempre em casa e sujeitas a graves infecções, como a temida febre puerperal. Essa é a grande causa de morte entre parturientes. Então, recém-paridas ficam confinadas à casa, poucas visitas são permitidas, até que a mulher apresente sinais de boa saúde. É o caso de Chica da Silva, que, além de se recuperar muito bem, não tarda a engravidar novamente. João vem à luz em junho de 1756 e Rita Quitéria Fernandes de Oliveira nasce no mesmo mês, em 1757. Todos são batizados com o sobrenome do pai, embora ele não os reconheça oficialmente. Nos registros, volta a constar no lugar reservado ao genitor a palavra "desconhecido". Assim são os tempos nas terras diamantinas.

Mesmo quando as crianças têm essa lacuna em sua origem, mais tarde algumas têm direito à herança do "benfeitor", como aconteceu com Simão, em 1755, um dos herdeiros de Manuel Pires Sardinha. O médico registrou sua vontade alguns anos antes de sua morte. E quando assim procede, transfere bens à mãe por vias legais. Não por acaso, aquela que manteve como escrava passa a ter direito a alguns de seus bens e também se torna responsável por eventuais dívidas que ele possa ter contraído, com a obrigação de saldá-las, caso o credor reclame por elas. Então, ao mesmo tempo em que começa a acumular propriedades pelas mãos de João Fernandes, Chica vê seu patrimônio ampliado por direito materno. Nesse momento, não há nenhuma outra forma de fazê-lo. A missão à qual se dedica inteiramente é ter filhos. Jovem e saudável, mais uma vez assume seu destino sem questionar. Está na fase da vida para desempenhar esse papel. É o que se espera das mulheres, e ela não desaponta.

Embora não tenha a mesma importância formal do homem com quem vive, e aceite a exigência de não comparecer a nenhum evento no longo pós-parto, Chica conquista um papel de relevo na vida social do Tejuco. Recebe autoridades em sua casa e é convidada para comemorações organizadas pelas pessoas mais importantes da região e até mesmo do Reino, quando em visita às áreas diamantinas. Eventualmente, contribui para a caridade, uma obrigação fundamental entre os viventes da Colônia. Para assegurar orações tanto em vida como depois da morte. Ela tem menos a oferecer que seu consorte, mas não se furta a oferecer esmolas ou contribuições para obras ligadas ao culto, como boa cristã. Para seu consorte, além de uma virtude consagrada por sua religião, doar aos pobres é também uma forma de poder, porque os beneficiários de sua bondade tornam-se fiéis aliados, um trunfo importante nesse tempo em que o que vale é a palavra dada. Até mesmo nos processos de investigação de origem, para lavagem dos traços de escravidão de alguém, muitas vezes esse sinal de gratidão faz toda a diferença. Nem é preciso lembrar às pessoas o quanto devem a seus benfeitores. Elas sabem e honram o compromisso. Quando chamadas a testemunhar, dizem o que lhes é pedido. Sem hesitação.

Além dos compromissos sociais, entre jantares, festas, saraus, sessões de teatro e até de ópera, o contratador dedica-se às atividades religiosas, que não se restringem à obrigatória missa dominical, às confissões e às comunhões, e à liturgia de grandes festas, como Páscoa e Natal. Participa das tradicionais irmandades, instituições leigas que se responsabilizavam por eventos do calendário católico e seus diferentes ritos, e cuidavam até mesmo da construção de igrejas. A princípio, essas irmandades eram formadas apenas por cidadãos brancos, mas aos poucos – pela própria composição da sociedade – admitiram a participação de pessoas de outras colorações de pele. Aliás, negros e mulatos fundaram suas próprias irmandades, sob inspiração de seus protetores, como são Benedito.

João Fernandes participou de muitas delas, entre as quais a Irmandade do Santíssimo, como escrivão e até provedor – cargo mais importante na escala hierárquica da instituição. Como integrante da destacada Irmandade do Carmo do Tejuco, fundada em 1758, ele patrocinou a construção da igreja de São Francisco de Paula, na rua do Contrato. As obras começaram em 1760, ano seguinte ao do nascimento de seu terceiro filho, novamente um varão, que recebeu o nome de Joaquim Fernandes de Oliveira. Não admira que o desembargador merecesse, mais que gratidão, a honra de tomar o hábito da Ordem Terceira do Carmo, outro costume entre os cidadãos abastados.

A religião tem um espaço de grande relevância no cotidiano do Arraial do Tejuco e é estrita quanto à moral e aos bons costumes, mas faz vista grossa à vida familiar de seus praticantes de elite, quando não casados segundo as leis da Santa Madre Igreja. A consorte de fato do desembargador tem direito aos mesmos privilégios que ele, como o lugar em que é convidada a ocupar nos ofícios litúrgicos. Ela faz por merecer, porque se comporta de acordo com o que se espera de alguém em sua condição e ainda vai além. Trata de evoluir culturalmente. Se não aprende a ler e escrever correntemente, ao menos desenvolve a habilidade de assinar seu nome. Para uma alforriada é uma tremenda façanha, porque duas décadas de sua vida foram dedicadas somente a trabalhos domésticos nem sempre leves. Tem, ainda, resquícios dos calos nas mãos e muita dificuldade para fazer os movimentos delicados que a caligrafia exige. São horas e horas de treino, para um saldo de pequenos avanços. Mas é obstinada. E consegue. Nunca mais deixará de colocar sua marca pessoal em documentos, embora às vezes o faça de maneira abreviada.

Com esforço e disciplina, vai construindo uma nova imagem de si mesma, delicadamente orientada por João Fernandes, seu amante e seu amor. Viver com um homem culto como ele, e sempre disposto a fazer com que ela se sinta confortável no meio em que vivem, faz com que Chica se interesse por coisas sobre as quais nada sabia antes. Em especial o teatro, que João Fernandes aprecia a ponto de promover apresentação de peças em uma de suas chácaras, com a participação de atores e músicos. Não são iniciativas amadoras. Afinal, ele é um homem refinado na maneira como projeta e cuida de suas propriedades. Suas referências são europeias e ele as segue, transportando um pouco do Velho Mundo para a distante região diamantina, como bem demonstram os elaborados jardins de sua Chácara da Palha. E, apesar de não ser algo comum a seus pares, quer que suas filhas tenham educação esmerada, como a que se oferece normalmente aos varões. Às filhas não se costuma ampliar tanto as perspectivas, pois o máximo que podem almejar é um casamento de conveniência e que lhes traga algum conforto. Menos ainda podem esperar as que foram geradas por escravas, caso não consigam apagar os vestígios de sua origem.

Sem acesso a esse tipo de branqueamento, Chica da Silva prossegue em sua lenta, mas completa, metamorfose, ao mesmo tempo em que dá mais filhos ao desembargador. Nascem outros quatro, em perfeita sequência anual: Antônio Caetano, em 1761, Ana Quitéria, em 1762, Helena, em 1763, e Luísa, em 1764. Novamente, permanece um longo período confinada à casa, sujeita aos obrigatórios períodos de resguardo, sem contar a época de cuidados antes do parto. Já são oito filhos que deu à luz durante os onze primeiros anos com João Fernandes. Simão está quase entrando na adolescência e não tardará a se ausentar do arraial, para continuar os estudos. Tratado como filho pelo desembargador e herdeiro de seu pai verdadeiro, seu destino é completar a educação em uma universidade portuguesa, assim que tiver a idade adequada. Terá todo apoio para isso.

Para as meninas, os pais escolhem o internato no educandário e convento Recolhimento de Nossa Senhora da Conceição de Monte Alegre de Macaúbas, na comarca de Sabará, localizado entre o Tejuco e Vila Rica. Todas as meninas que ali são recebidas têm de seguir o ritual reservado às que pretendem abraçar a vocação religiosa, de estrita disciplina e austeridade, mesmo que não estejam inclinadas a tomar os votos. Além das obrigações religiosas e do ensino de artes domésticas, as internas aprendem a cantar, ler e escrever. É esse o limite extremo de preparação cultural reservado a elas, nada além. Leituras, só as piedosas. Nada de literatura. A rigor, não podem receber visitas senão de acordo com um estrito calendário, mas João Fernandes e Chica nunca o seguem. Até porque moram muito longe e não há opções de hospedagem nas proximidades. Esse problema leva o pai das meninas a construir uma edícula, nas cercanias do internato, para se instalar com sua mulher, porque costumavam permanecer por lá alguns dias. É uma casa retangular, simples e térrea, mas com acomodações suficientes para que ele e a mulher se instalem com o mínimo de conforto. Um refúgio adequado ao descanso e à preparação para a volta. Ele usa todo seu prestígio e sua riqueza para ampliar, sem que as freiras se oponham, as instalações destinadas às meninas. É a sua interpretação do voto de pobreza, que também comporta – como ele decide – a existência de escravas para cuidar de suas filhas.

Embora oferecer condições de estudo e cultura para os filhos implique vultosos investimentos, o casal não se recusa a ampliar a prole. Depois de um breve período, Chica engravida ano após ano. Maria nasce em 1766, Quitéria Rita, em 1767, Antônia Maria, em 1768, Mariana de Jesus, em 1769, e José Agostinho, em 1770. É o último filho da união que, ao completar dezesseis anos, sofre um grande e inesperado revés. Não que seja irreparável, acreditam João Fernandes e Chica, mas decerto vai provocar sofrimento. Eles, que desconhecem a saudade mútua, porque dificilmente se distanciam muito, agora estão na iminência de saber muito bem do que se trata. O desembargador se vê obrigado a viajar com urgência a Portugal.

Sua partida não reverbera apenas no coração de sua mulher, que permanece no vilarejo, nem no dele, que se vai, mas também nos negócios da família. Quem cuida efetivamente da prospecção de diamantes é ele e, ao longo dos anos a que se dedicou a essa tarefa, teve muito êxito. No entanto, a produção da Colônia já está em declínio no ano em que ele tem de ir embora. Vem caindo desde 1766, quando havia alcançado surpreendentes 91.383 quilates. À margem dos cálculos oficiais há todo um mercado ilegal, inflado pela ânsia dos moradores locais de conquistar o direito à exploração, concedida apenas aos contratadores. João Fernandes defende com rigor os interesses da Coroa, mas não é isento de deslizes, como a discreta disposição de comprar gemas obtidas ilicitamente, um boato que corre a boca pequena, jamais comprovado em documentos oficiais. Ao contrário, ele é homem de confiança da Coroa.

A consideração que merece por seus préstimos e o êxito na gestão das propriedades da família e do contrato de extração não são suficientes, porém, para evitar que o desembargador tenha desentendimentos com seu pai, o sargento-mor. Vivendo na Corte, em Portugal, o velho João Fernandes de Oliveira exagerava nos gastos. Depois de sobreviver ileso, como também sua segunda mulher, ao terrível terremoto que dizimou Lisboa, em 1755, ele investe pesadamente na construção de uma luxuosa residência, no bairro da Lapa. Gasta demais para manter o padrão de opulência a que acha ter direito e, para isso, faz vultosos saques na conta da contratação, um expediente que seu filho – mesmo distante – consegue minimizar graças a seus poderosos contatos na Corte. O que o jovem não consegue evitar é a necessidade de retornar a

Lisboa, assim que recebe a notícia da morte do pai, quase dois meses depois do acontecimento. As notícias tardam a chegar no além-mar. E quando aportam, por algum mensageiro que chega ao litoral, ainda têm de seguir um longo caminho para alcançar seu destino, no sertão profundo. Ao tomar conhecimento da orfandade, João Fernandes sabe que haverá problemas com a herança, pois a viúva já está tratando de reaver o que perdeu com o casamento, além de provavelmente reivindicar o que acredita ser seu.

O que o espera no Reino é complicado, mas João Fernandes acredita que conseguirá resolver tudo da melhor forma, o mais breve possível. Ele, que é tão prático e objetivo, antes de partir se descobre imaginando como será sua volta ao Brasil. Deixa a mulher de sua vida, as filhas e o varão caçula, que só na adolescência poderá seguir para Portugal como interno em uma consagrada instituição de ensino. Chica permanece à sua espera, com a incumbência extra de cuidar da prole, com a ajuda de um tutor. Um desafio que ela encara como forma de amenizar a saudade que só faz crescer, quanto mais os dias passam, depois da partida de seu amor.

3

Recordar é sobreviver

Em compasso de espera

O vazio que se instala em sua vida no período imediato da partida de João Fernandes só não é maior do que a fé no retorno dele. Para enfrentar os primeiros momentos dessa estranha solidão, mesmo cercada de filhos e serviçais, Chica se descobre nostálgica. É uma sensação totalmente nova. Recorda momentos do passado. Nunca foi dada a esse exercício. Só sabe viver no presente. Mas agora, mesmo sem querer, às vezes fecha os olhos e revisita imagens com medo de que se apaguem, como os traços desse homem com quem viveu durante dezesseis anos. De alguma forma precisa encontrar forças, diariamente, para a espera que, sabe, deve ser longa. Quais foram os momentos mais surpreendentes e marcantes dessa trajetória? Não que ela se faça perguntas para ajudar na retrospectiva. Os detalhes vêm facilmente, como se estivesse assistindo a uma peça de teatro ou a uma ópera, tantas foram as que compartilhou com seu ausente. Às vezes parece que tudo lhe vem à cabeça como se estivesse, de fato, em um palco. Não faltam sons, movimentos, falas, cheiros, sensações. Sequências tão vivas e buliçosas como ela, Chica da Silva.

Sua memória mais antiga de João Fernandes quase se esvai na distância – o passar do tempo, de tão lento, leva tudo o que aconteceu para trás, como se fosse possível fazer isso. Mas sente, de novo, a mesma inquietação do primeiro instante em que mergulhou seus olhos nos dele. Não era medo nem estado de alerta, como acontece com os animais quando obrigados a passar de um dono para outro. Ela sequer consegue dar nome ao que lhe invade e não pode evitar. É como se estivesse novamente diante dele naquele dia, sob um olhar tão contundente que parecia invadir suas profundezas e, em um segundo, fosse capaz de desvendar todos os seus segredos. A respiração descompassada nada tinha a ver com sinal de alerta, porque naquele momento ela não havia reconhecido nenhum perigo iminente.

Há donos de escravos para quem a violência é um modo de ser. Por atitude pessoal ou delegada. Não há escândalo nisso. É comum, principalmente com os negros obrigados a trabalhar no garimpo de bateia. Qualquer sinal de desânimo ou corpo mole é punido severamente. Da mesma forma que uma tentativa de roubo de pedras preciosas ou um movimento, mesmo que ligeiro, de rebeldia. A chibata é usada com energia frequentemente. Quase não há lombo de homem negro sem marcas de chicotadas nem pulsos sem evidências de fricção, porque ele permanece amarrado em cordas em episódios punitivos. Aos homens trazidos à força da África e seus filhos, igualmente privados de liberdade, só restam o trabalho até a morte e a dor dos castigos, enfrentada estoicamente.

Para as escravas, a violência também acontece, de maneira semelhante, mas se reveste de um agravante inevitável. São, literalmente, servidoras de casa, mesa e cama. Entre suas obrigações, está a de servir a seus senhores nos movimentos do sexo, depois de trabalhar sem tréguas o dia inteiro, de sol a sol na lida dos casarões. Ninguém se rebela nem pode ou ousa, mas a aparência de docilidade é somente uma cortina para ocultar a dor. Chica deitou-se durante muitos anos com um homem que tinha idade para ser seu pai. Perdeu a virgindade e foi mãe jovem demais. Com ele também aprendeu que um senhor pode fazer tudo o que lhe der na veneta. Inclusive conviver com mais de uma mulher, em situação parecida com um casamento, em franco desacordo com o que deveriam ser seus princípios católicos. Manuel Pires Sardinha, o bígamo como foi acusado pelo visitador religioso, não tinha nenhum encanto. Muito menos estribeiras. Seu poder era quase ilimitado, tantas atribuições acumulava na Colônia. Mesmo assim, achou melhor desfazer-se de uma de suas concubinas, porque a Igreja estava de olho nele. Dormir com escravas era tolerável, desde que oculto sob o manto da discrição. O que todos sabem, mas não é visível, passa batido. Contudo, duas mulheres grávidas é motivo de escândalo, de falatório. Sorte de Chica, a rejeitada, a que foi vendida. O que parecia assustador, quando levada para a transação comercial, de sobressalto virou calmaria.

Seu novo senhor era tão diferente do pai de seu filho. Tinha uma postura máscula e não andava com a coluna em curva ao caminhar. Seus passos, quando desapeava da montaria, eram vigorosos, mas sem pressa. Ordenava, sim, mas de um jeito que ela desconhecia. Mais gesto do que palavra. Não era muito de falar. Mesmo assim, jamais deixava dúvidas do que desejava. Ele a escolheu não como uma entre outras, mas senhora de sua casa. Ostensivamente. Não havia espaço para ela nas dependências térreas do solar, onde ficava a senzala. Seu lugar sempre tinha sido, desde o começo, na parte superior do amplo e arejado sobrado. Ser comprada por João Fernandes, embora ela não tenha se dado conta na época, foi a data real da alforria que não tardou a receber, de fato, como presente. Sua libertação aconteceu antes, quando pela primeira vez se sentiu em casa, dona de seus movimentos, livre para deitar ao lado de um homem porque assim também desejava, não por ser submissa a um destino inexorável. Com ela, João

Fernandes jamais se comportou como dono, embora soubesse como ninguém exercer o direito à propriedade. Desde o início a tratou como uma mulher, não escrava. Uma negra, é verdade, porque ele não ousaria levar uma branca direto para seus lençóis sem antes se unir a ela pelos sagrados laços do casamento. A diferença, longe de ser a da cor da pele e a da condição, foi a atração. Mútua.

Se no começo ser a única talvez fosse ilusão passageira – e Chica nunca foi de ilusões –, aos poucos, como sua própria transformação, essa condição foi elevada a estado permanente. E de conhecimento geral. E de tácita aceitação, até porque não havia alternativa. Foram treze filhos que teve com João Fernandes ao longo dos dezesseis anos em que viveram juntos. Quase sempre, ela passeava com sua barriga de grávida pelo Tejuco e arredores. Agora, lembra um por um dos nascimentos. Em especial o de sua primogênita, porque o desembargador não a desdenhou como muitos homens do arraial faziam, uma vez que só se importavam com filhos varões. Às meninas não davam atenção nenhuma, certos de que teriam de criá-las para o casamento ou o convento, com dispêndio de recursos e sem nenhuma contribuição à continuidade do nome familiar. Deus os livrasse, pensavam, de uma prole em grande parte feminina. Seu homem, no entanto, jamais se queixou nem negligenciou a dele. Comemorava os nascimentos com o mesmo entusiasmo. E fazia as mesmas festas marcantes para celebrar os batizados.

Mesmo que ele não tenha assumido oficialmente os filhos, não há nenhuma dúvida sobre a paternidade das crianças. Até mesmo porque ele cumpriu publicamente todos os deveres que lhe competiam nessa condição, sem descuidar nem mesmo de Simão, a quem acolheu plenamente. Antes de viajar para o Reino, João Fernandes tomou uma iniciativa incomum, como era de seu feitio. Quando deixou o Tejuco, fez uma parada em Vila Rica para lavrar seu testamento, no qual distribuiu um terço de seus bens aos filhos "naturais", como se dizia. Designou também um tutor para os menores, algo que nenhum homem costumava fazer quando tinha prole não legitimada. Essa deferência era reservada apenas aos frutos dos matrimônios oficiais. Chica se emocionou, certa de que com isso ele deixava mais uma vez claro, a todos os viventes do Tejuco, quem era sua esposa de fato. Soube dessa iniciativa bem depois, porque as notícias tardavam a chegar ao arraial. O registro do testamento data de 28 de novembro, menos de um mês antes que João Fernandes embarcou – na véspera do Natal – para Portugal. Ele conseguiu completar a longa e perigosa viagem por terra a tempo de chegar ao Rio de Janeiro para juntar-se aos que iriam embora com a embarcação de guerra Nossa Senhora de Belém, cuja partida foi retardada para que ele não ficasse para trás. Se perdesse aquele embarque, sabe-se lá quantos meses teria de aguardar por outra possibilidade. Além de lotada de passageiros, a nau ainda levou uma grande partida de madeira ao aportar na Bahia, escala prevista no roteiro de viagem antes de se distanciar definitivamente de terra firme, para enfrentar as ondas da travessia oceânica. Tamanho excesso de peso agregava mais risco à viagem, mas assim eram os tempos.

Chica da Silva nunca soube desses detalhes, exceto do testamento, da designação de procuradores para cuidar da administração de todo o patrimônio que ele deixava no Brasil e do sargento-mor Manuel Batista Landim como tutor da prole. Ao cuidar de tudo com requintes de marido, seu homem mostrava estar à frente de seus pares em muitos aspectos, da mesma forma que aceitara bem a prole feminina e investira na educação das meninas, uma raridade até em famílias de brancos. E não escondeu essa intenção, como às vezes faziam outros chefes de famílias ilustres, chamando tutores a sua casa, para que as preparassem de maneira discreta. Manter filhas em colégios implicava um bom dispêndio de recursos materiais. Como elas ficavam em regime de internato, a cada uma cabia levar seu próprio enxoval, tanto de roupas para uso pessoal, como lençóis, fronhas, toalhas de banho, colchas, enfim tudo o que uma jovem precisa para seu dia a dia. Além de escravos para ajudar nas tarefas cotidianas. Cada uma delas tinha de levar determinado valor em moeda, destinado a seu sustento ao longo de um ano e renovado no seguinte. Como se não bastasse, o investimento era altamente onerado com uma quantia a ser paga se e quando as internas resolvessem tomar os votos, ingressando na vida religiosa. Esse investimento era passível de retorno, caso alguma postulante desistisse de tal destino. Havia, ainda, outras oferendas às freiras, com caráter de caridade e voluntariado, e não a título de pagamento por serviços prestados. Pródigo, o pai sempre surpreendia com sua boa vontade. Acostumado a viver em grande estilo, João Fernandes não hesitou em mandar construir, na área contínua ao educandário, uma capela em honra de Nossa Senhora das Dores, uma de suas devoções. Quis que o altar-mor fosse pintado de um azul muito vivo, em alto contraste com as brancas paredes externas, de taipa e madeira.

João Fernandes manteve suas nove filhas em Macaúbas. As primeiras a ingressar, em 1767, foram Francisca de Paula, Rita Quitéria e Ana Quitéria. As duas mais velhas tinham, respectivamente, doze e dez anos; a menor apenas cinco, exatamente como Helena, que foi para a mesma escola no ano seguinte. Essa era a idade mínima e ideal para o ingresso das crianças nos conventos-escola. As outras cinco foram para o internato depois, conforme chegavam ao momento indicado para deixar a casa paterna. Quando foi embora para o Reino, para cuidar de sua herança e dar continuidade aos negócios de além-mar, João Fernandes decidiu que elas deveriam continuar internas. Essa era sua explícita vontade. Devidamente respeitada por sua mulher.

Chica, nos primeiros tempos de solidão, sequer aventa a possibilidade de tirar as filhas de lá. Seus pensamentos estão voltados ao consorte, e volta e meia a tudo o que viveram juntos ao longo desses anos: as viagens para visitar as filhas, em Macaúbas, pelos íngremes caminhos do sertão; a alegria de chegar naquele enclave entre montanhas e divisar a bela construção do convento educandário, emoldurada pelo recorte de seus telhados contra a vegetação típica, em que as palmeiras macaúbas se destacam. Aliás, o lugar recebeu esse nome por causa da intensa presença da planta, que produz um tipo de coco muito apreciado pelos habitantes do lugar, especialmente nos meses de fevereiro e abril, quando a colheita pródiga nem exige esforço, porque se espalha naturalmente pelo chão.

E o que dizer dos momentos na bem-cuidada Chácara da Palha, com seus belos jardins, projetados em enclaves, como era moda na Europa? A sede abrigava amplos cômodos, entre os quais se destacava a sala onde eram apresentadas – para o casal e convidados – peças divertidas, com enredo cantado. Até mesmo com enredos clássicos, como *Os encantos de Medeia*, de António José da Silva, conhecido como *judeu*, por sua origem e crença. Português, ele foi condenado à morte pelo fogo durante a inquisição. Não obstante sua história trágica, escreveu obras jocosas. No entanto, a Medeia e *O anfitrião* eram inspiradas em tragédias da mitologia grega. A encenação era complexa, exigia cenários, belos figurinos e a presença de músicos.

Foi com João Fernandes que Chica aprendeu a gostar tanto de música, não apenas de ópera. Eles também costumavam promover saraus, e foram muitos ao longo dos dezesseis anos de vida em comum ao som de modinhas brasileiras nem sempre recatadas. Alguns versos retratavam as relações amorosas ilícitas entre brancos e negras, tão costumeiras no Tejuco e outros arraiais do Brasil Colônia, sem que isso causasse escândalo entre os convivas. A vida real era muito diferente do que preconizavam a religião e as regras de convivência ditadas pelo Reino. No primeiro caso, bastava confessar e cumprir as devidas penitências, para ter, novamente, o direito de cair em tentação. No segundo, submeter-se às limitações burocráticas, porque dessas não havia como escapar.

Fosse como fosse, a intensa vida social do desembargador e sua mulher acabava gerando boatos, que exageravam acontecimentos corriqueiros. Chica sabia disso e não dava a menor importância ao falatório, seja enquanto seu amor estava ao seu lado, seja quando só, ensimesmada em seu período de saudade aguda. Faz tempo que dizem à boca pequena, no arraial, que para ela foi construído um imenso lago, onde singrava uma réplica de embarcações marítimas portuguesas – só para que tivesse uma ideia de como era o oceano. Havia mesmo um lago e um barco para algumas pessoas em uma das propriedades de João Fernandes, mas algo bem distante da lenda criada pelo imaginário popular. Ele jamais pôde oferecer a ela a mais pálida ideia daquela massa ondulada de água que atravessara duas vezes e que está enfrentando de novo, depois de vencer os perigos e apreciar as belezas da paisagem tropical em seu trajeto para o Rio de Janeiro. Nem ela terá notícia do desconforto que implica a travessia marítima, porque o balanço em nada recorda o dos berços infantis. Muitas vezes é um sacolejar violento, com vagalhões quebrando na proa, sob tempestades assustadoras. O asseio é pouco e os alimentos, nada apetitosos, pelo enjoo que os passageiros sentem em momentos de maior perigo ou pelo sabor de coisa guardada, sem frescor.

Chica, no entanto, não sabe de todos esses detalhes. E se alguma vez ouviu relatos a respeito de visitantes ansiosos para contar suas aventuras a bordo, não povoa sua mente com medos inúteis. Concentra-se no que tem e nas vivências compartilhadas com seu desembargador. De sua vida com ele, o que lhe importa – enquanto ele vai ficando cada dia mais longe – é a verdade, não conjecturas e possibilidades, menos ainda as pinceladas de tragédias possíveis. Mesmo saudosa, mantém a esperança no futuro e, sobre o passado, tem muito que comemorar. Não só se tornou uma mulher livre, mas uma senhora com propriedades. Desde imóveis até escravos. Em seu testamento, João também lhe deixou bens, além daqueles a que já tivera acesso. Ainda que contemplada no documento, Chica não se importa com isso, concentrada no desejo de ter João Fernandes de volta. Quando sabe o que ele fez, entende que não foi nada além de precaução. Os homens têm esse cuidado, ela sabe, de não desdenhar os riscos a ponto de deixar os filhos, mesmo não legitimados, sem nenhum respaldo. Seu antigo senhor, Manuel Pires Sardinha, embora a tenha tratado sempre como escrava, alforriou e deixou bens para seu filho Simão.

Naquele momento da vida, Chica da Silva tem seu próprio patrimônio. E lembranças com que nutrir o tempo de espera, caso contrário poderia sucumbir. A falta que sente de João Fernandes é dolorida e pesa, mas esse é um sentimento íntimo que guarda para si mesma. E se extravasa as lágrimas, como no dia em que ele partiu, não faz isso diante de seus próprios servos, e sim no trajeto a caminho do quarto. Só se entrega à saudade quando longe de todos os olhares, em meio à escuridão das noites, cada vez mais longas e insones. Essa é uma novidade nefasta em sua vida. Antes, jamais soube o que era virar de um lado para outro sem que os olhos se cerrassem naturalmente para o descanso diário. Antes dormia exausta, fosse esgotada pelas noites de paixão ou por afazeres que teimava manter, mesmo sem necessidade.

Além de seu próprio patrimônio e lembranças, tem uma reputação construída de maneira sólida. Há muito deixou de ser a escrava liberta que se encantava com luxo após luxo. Brilho demais ofusca, já sabe. Ainda usa os sapatos de fivela de prata, os chapéus de copa alta, as joias para enfeitar o colo generoso, os vestidos feitos com esmero e ricos tecidos, mas esses sinais externos de opulência deixaram de ter a importância de antes. Seus armários e baús estão abarrotados de pertences. Tem de se apresentar de maneira elegante no meio social a que pertence, apesar da origem. Agora, usa o que tem menos para seu próprio prazer e sim para fazer jus ao cerimonial de sua posição. Aprendeu com João Fernandes que aparentar é tão importante quanto ser.

O aprendizado das sutilezas da convivência foi longo e não isento de dificuldades. Compreender aos poucos e, assim, mudar de comportamento fez parte de sua completa transformação. É uma senhora do Tejuco. Tem sua própria identidade, independente da presença física de João Fernandes. A sombra dele, é bem verdade, paira sobre tudo. Está vivo e a caminho do Reino, onde estreitará os laços que ligam sua família à nata da realeza. E, mais ainda, ao poderoso marquês de Pombal. É possível que seu contrato de exploração de diamantes seja revisto, porque há sinais de mudanças no horizonte. Seu falecido pai era muito influente, mas mesmo nessa condição em nada contribuía para ampliar a fortuna amealhada, quando muito servia de facilitador para eventuais obstáculos. Quem se expunha era o filho no cotidiano da Colônia. Sua ida, que tanto sofrimento causa a Chica, ao mesmo tempo é uma garantia de bom andamento dos negócios.

Seja como for, só resta a ela enfrentar o dia a dia sozinha, com coragem e altivez que sempre teve. Para esse desafio, amealhou intenso preparo com as vivências dos tempos de escravatura. E se antes se conduzia muito bem na solitária missão de cuidar de si mesma, agora, com tudo o que conquistou, não tem dificuldades. Foram dezesseis anos aprendendo a se movimentar na elite branca do Tejuco. Pode sair à rua e cuidar do que está sob sua responsabilidade sem receio de afronta. Claro, existem as indicações e ligações de João Fernandes, que não a deixou em total desamparo, como quem some para sempre sem deixar vestígios. Ele fez tudo o que foi possível para preparar sua volta, como se fosse eminente, e ninguém ousará desafiar as vontades que expressou. Muito menos a genitora de sua extensa prole.

Antes das tarefas maiores e que dizem respeito a sua posição, Chica tem filhos para cuidar. José, o último, nasceu em 1770, poucos meses antes da partida do pai. Tem ama de leite, como os demais, além de escravas para seu cuidado, mas a mãe pode mimá-lo, agora que não precisa se preparar para uma próxima gravidez, como de costume. É uma perspectiva que a agrada, da mesma forma que pôde aproveitar mais os primeiros tempos de Simão, quando não tinha direito a nenhuma regalia, privada de liberdade que era. Ter o filho menor assim mais perto parece amainar um pouco a tristeza que sempre paira em seu olhar, embora a mantenha oculta sob a expressão de desafio com que encara tudo e todos.

Faz jus ao que dizem dela nos becos e nas vielas, quando se referem à senhora "que manda". Há quem jure de pés juntos que esse verbo poderia muito bem se aplicar ao próprio João Fernandes, na insinuação de que atendia cegamente à mulher nos menores detalhes do que ela desejasse. Criam lendas a seu respeito, bem mais desagradáveis que o caso pitoresco da caravela no lago artificial. Dizem que é dada a bruxarias, senão como explicar essa longa e exclusiva convivência com o desembargador? Embora os casos de concubinato não sejam raros, homens brancos de muito relevo dormem com mulheres negras, mesmo as alforriadas, mas tratam de encontrar uma branca de família ilustre para casar. Não há muitas, é verdade, mas existem. E ele é um excelente partido, ninguém negaria a mão de uma filha a alguém tão destacado. Contudo, durante todo tempo em que viveu no Tejuco, ao lado de Chica, ele nunca manifestou a inclinação de casar-se oficialmente com alguém de seu nível social. Nem teria de limitar-se às jovens do arraial e arredores. Podia encontrar uma noiva em Vila Rica ou mesmo no Rio de Janeiro. Quem sabe até para ter filhos legítimos aos olhos da lei.

Sua mulher, de fato, não é dada a bruxarias. Em seu lento processo de aculturação ao ambiente em que passou a viver se esmerou na vivência religiosa. Afinal, o catolicismo era uma imposição aos escravos, desde seu nascimento, com o batismo obrigatório, e ela não foi exceção. Acostumou-se aos rituais desde muito cedo. E se ao viver com o médico Sardinha não se esmerou na devoção, como mulher do contratador acrescentou ao trivial dos domingos outras práticas. Sua participação em irmandades era contínua e fervorosa, não um disfarce, da mesma forma que a assídua presença nas missas e nas festas do calendário litúrgico, o cuidado em criar os filhos de acordo com o que reza a Santa Madre Igreja, e a própria decisão de internar as filhas no convento educandário de Macaúbas com o pagamento do dote para que todas tomassem os votos. Não desejava, de fato, que todas perseverassem no hábito e se dedicassem à vida religiosa, a menos que manifestassem tal vocação, mas oferecer a elas esse caminho era o preço para o reconhecimento social e, quem sabe, o desvanecimento da origem. Como filhas de uma escrava, não havia por que tentar diferentes trilhas. No mínimo, deixariam o colégio como senhoritas piedosas, prendadas e alfabetizadas, rumo a um bom casamento. Esse era um diferencial muito grande naquela comunidade coalhada de mesmice. E também, Deus que as livrasse, um recurso para a eventualidade de problemas no futuro. Essas instituições acolhiam, ainda, para uma vida de recolhimento e oração mulheres adultas desamparadas, como solteiras sem parentes e viúvas. Havia muitas nesses lugares.

Acostumada a encarar a realidade, Chica nunca ignorou a existência de problemas nesses educandários, até mesmo graves e de caráter moral. No passado recente, houve acusações fundadas de abuso sexual contra internas, praticadas por padres cuja responsabilidade era ouvir suas confissões. Como houve intervenções enérgicas para acabar com essa lamentável prática, tudo indicava que não aconteciam mais – a profilaxia, ao menos na aparência, havia funcionado. O mesmo não se podia dizer das condições sanitárias desses colégios. Deixavam muito a desejar. Não por acaso algumas filhas do desembargador adoeceram; algumas a ponto de ter de regressar à casa para tratamento, outras cuidadas lá mesmo com grande empenho da mãe. Então, mesmo no reservado terreno da vida familiar, havia muito o que fazer, incluindo o bebê José Agostinho, caçula de uma leva de crianças que ainda não têm idade para o internato e inclui Mariana, Antônia, Quitéria Rita e Maria. Contar com a ajuda de escravos para bem desempenhar essa tarefa não exime Chica de acompanhar de perto o crescimento dos menores nem de observar se estão bem nutridos, porque disso depende a saúde deles.

Assim, a solidão no leito não a isenta de seus papéis no dia a dia. Além dos maternais, o cuidado com suas propriedades e a estrita vigilância sobre seus escravos. Por mais que se revire, insone e lacrimosa, ao longo de intermináveis madrugadas, ela tem de se levantar quando as primeiras luzes clareiam sutilmente o horizonte. E seguir em frente. A cada dia reforçando a esperança na volta de seu homem, porque é o único jeito que ela tem de não sucumbir à saudade.

4

O preço da ousadia

Escaramuças em família

O balanço da embarcação, naquela primeira noite a bordo, desperta a saudade. É suave em mar aberto, longe da linha de arrebentação. No horizonte, ainda se veem os contornos da maravilhosa baía onde fica a cidade de São Sebastião do Rio de Janeiro, que ele admira do convés. Fosse um homem dado a sonhar de olhos abertos, imaginaria que em vez de afastar-se da costa estaria se aproximando, de volta e ansioso por subir a trilha na serra do Mar, rumo à demarcação diamantina, de onde se afastou a contragosto. Mas sabe perfeitamente que no próximo amanhecer o recorte daquele caprichoso litoral já não será visível. Recusa-se a deitar, embora o corpo exausto suplique. Precisa de um pouco de ar livre. O vento ajuda a refrescar.

Em pleno verão, a orla escaldava no trajeto por terra até o porto, colando a roupa na pele, mas agora, sob a noite clara e estrelada, a sensação é de conforto. Fora o insistente aperto no coração, seria um momento perfeito. Na amurada do barco, longe de seus companheiros de viagem, ele se entrega aos sentimentos que, com a urgência de chegar para o embarque, haviam ficado adormecidos. Foram muitos os desafios para chegar até o embarcadouro, antes de ter certeza de que o capitão o aceitaria a bordo com sua comitiva. A lotação já estava esgotada. Mas seu prestígio com a realeza do Reino foi decisivo.

No longo trajeto até o Rio de Janeiro, em meio ao cenário luxuriante ao seu redor, ele não sentia saudade, nem mesmo quando a luz do dia deixava, lentamente, de se espalhar sobre a vegetação. Tinha de se entregar ao sono, para despertar em condições de permanecer atento ao caminho íngreme e em alguns trechos muito perigoso. Viera pelo Caminho Novo, que já conhecia muito bem, pois o trilhara quando foi a Portugal pela primeira vez, para continuar os estudos, e o revisitara em sua volta, com destino ao Tejuco. Concluído em 1725, antes de seu nascimento, esse trajeto era uma via direta para o litoral, pois – ao contrário do Caminho Velho – não passava pela distante capitania de São Paulo. Na descida da serra, tudo o que enxergava era a mata atlântica, aquela profusão de verdes e espécies animais, de maneira que aos viajantes não faltava o que comer, tanta era a abundância de espécies para caça. Especialmente perigosas eram as travessias nos trechos de cachoeiras. Além do cuidado com ele mesmo, tinha de ficar de olho nos quatro filhos, normalmente bem cuidados pela criadagem que seguia junto. Toda atenção era pouca, até porque além dos riscos de escorregar em precipícios, sempre havia a possibilidade de a comitiva ser surpreendida por uma emboscada de bandidos. Não havia como seguir apressadamente, fosse em lombo de burro, fosse em redes carregadas por escravos ou mesmo a pé. A necessária parada em Vila Rica, para fazer e registrar seu testamento, retardou ainda mais a chegada ao Rio de Janeiro.

Com tantas preocupações, o desembargador só consegue respirar, aliviado, nessa primeira noite a bordo quando tem certeza de seguir para seu destino. Sabe que, aos poucos, conforme a nau se distancia mais e mais da costa, o céu noturno vai se alterando, para oferecer constelações muito distintas das que ele gosta de admirar, desde criança, nas terras coloniais. Existe muito do que se despedir, mas o aperto no peito que sente agora é por saber que mais uma vez, como nos últimos tempos, vai se deitar sozinho. Se isso não parecia tão difícil em meio à natureza da Mata Atlântica, onde acordava ao amanhecer com o alvoroço alegre da passarada e o revoar colorido das araras, agora será um momento complicado, no ambiente fechado que o aguarda na embarcação. Não mais o aconchego e o aroma de sua mulher, com quem compartilhou a cama por anos a fio. A maciez daqueles contornos fartos, depois de tantas gestações, era um porto seguro para seus afazeres e obrigações. O corpo roliço e saudável dela lhe faz tanta falta que chega a ser quase uma dor. E essa é uma sensação totalmente nova para ele, acostumado a viver sem nostalgia. Tem sido feliz em terras diamantinas e a elas pretende retornar tão logo resolva suas pendências no Reino.

Antes, porém, o aguardam quase três meses entre oceano e céu. Nada além de água e infinito, refeições frugais, geralmente regadas a vinho. Um dos marcos dessa épica jornada marítima é a temida travessia do Equador, uma área em que o temor de naufrágios aumenta. Conhecer as dificuldades desse trecho, pelo qual já havia passado são e salvo outras duas vezes, não elimina o receio. E como traz os filhos, embora conte com a ajuda de seus escravos pessoais, permanece ainda mais em estado de alerta, especialmente depois de ultrapassar as ilhas atlânticas, quando a possibilidade de tempestades parece mais iminente. Na sequência, as perspectivas são bem melhores, porque a linha costeira começa a ser vista e se aproxima cada vez mais, até que a embarcação embica rumo à barra do rio Tejo, para chegar a Lisboa. A sensação de alívio que João Fernandes sente ao se aproximar da cidade vai se desvanecendo quando ele constata as consequências do terremoto que a destruiu há quinze anos, em 1755, exatamente na manhã do dia primeiro de novembro, quando se comemorava o feriado de Todos os Santos. Foi um desastre de proporções gigantescas – a terra tremeu várias vezes – e alterou os contornos e a aparência do núcleo urbano, e também a situação de seus habitantes. Além dos desabamentos sucessivos, abalo após abalo, houve um incêndio que rapidamente se alastrou, devorando tudo o que não viera abaixo antes. E, embora parecessem extraordinárias e impossíveis de aguentar, as mazelas não haviam se acabado ainda. Seguiu-se a tudo um maremoto, que evocava o fim do mundo. Foi uma sequência de desgraças de tal envergadura que transformou a sede do Reino em uma montanha de escombros e milhares de cadáveres. Os sobreviventes não tiveram alternativa senão aglomerar-se em barracas erguidas com velas de navios em terrenos ao ar livre, onde também se fazia o atendimento aos feridos. Até mesmo a família real teve de se refugiar nesses abrigos provisórios, tanto por absoluta falta de alternativa como por medida de segurança, porque as construções que ficaram em pé não eram confiáveis. Podiam ruir a qualquer momento. Até porque não havia meios de descartar novos tremores de terra.

Ao desembarcar, exausto de tanto céu e mar, João Fernandes não consegue se situar nessa nova Lisboa. A caminho do solar da família, recolhe mais informações sobre o que foi feito com a cidade, nesses últimos anos, para que tenha se transformado no que é agora. Tinha recebido notícias a respeito, na Colônia, mas nada era como estar ali, vendo com os próprios olhos a nova paisagem urbana. O rei dom José I, o reformador, entregou a tarefa de reconstrução da cidade a seu então secretário de Estado para Assuntos Exteriores, Sebastião José de Carvalho e Melo, na época ainda com o título de conde de Oeiras. Tinha carta branca para fazer o que achasse melhor, entre socorrer os sobreviventes e enterrar os mortos no primeiro momento. Sem demora, o diplomata arregaçou as mangas e começou por instalar um precário posto de distribuição dos mantimentos que fora possível recolher dos escombros. Ordenou o deslocamento de batalhões militares espalhados pelo país para que se concentrassem na capital, dedicados à dura tarefa de sepultar os cadáveres e desobstruir as montanhas de entulho. Da mesma forma, tratou de coibir saques e abusos de quem ousava se aproveitar daquela tremenda desgraça, com imediata prisão, julgamento sumário e morte na forca. Uma vez tomadas as providências iniciais, o segundo passo foi planejar a reconstrução com o uso do entulho para nivelar e alargar as ruas, antes muito estreitas. E começar a edificação com claros limites de altura como medida de segurança.

Tudo foi feito exatamente como exigiu o secretário de Estado, cujo poder foi sendo ampliado à medida que conseguia êxito em sua missão. Tamanho prestígio assombrava nobres e religiosos, antes acostumados a mandar e desmandar. Com a perda de influência e a tendência a conspirar, aos poucos eles são massacrados pelo preferido de dom José I. Especialmente punidos foram os jesuítas, que havia séculos dominavam as instituições de ensino formando levas de seguidores, inclusive entre os leigos. A perseguição é tamanha que, em 1759, Carvalho e Melo promulga um decreto extinguindo a Companhia de Jesus, e determina a expulsão de todos os seus representantes tanto do Reino como da Colônia, onde haviam chegado no mesmo século do descobrimento. Em algumas áreas, haviam construído grandes centros de convivência, estudo e trabalho, as chamadas missões, para converter e educar os nativos.

Ao mesmo tempo em que se lança ferozmente contra os que considera inimigos, com uma atitude despótica, em 1769 o conde de Oeiras passa a ostentar, orgulhosamente, o honroso título de marquês de Pombal como sinal de extrema consideração pelos bons serviços prestados à Coroa. Na tarefa de reconstruir Lisboa, concentrou-se na área central do antigo núcleo urbano, contando com um novo tipo de imposto cobrado dos viventes no Brasil, como se não bastassem os tributos que eram obrigados a recolher antes. As encostas montanhosas de Lisboa foram, aos poucos, ocupadas pelos cidadãos da elite, sobretudo os que – a exemplo do sargento-mor João Fernandes de Oliveira, pai do desembargador João Fernandes – obtinham fortuna no além-mar, ainda que devessem tributos ao Reino. As riquezas amealhadas eram tão vultosas que alguns comerciantes e contratadores de minas tinham dinheiro para emprestar a quem precisasse. Em importância econômica, a nobreza, que viu desvanecer suas posses com a derrubada das mansões e a perda de suas joias como efeito devastador do terremoto, deu lugar aos negociantes, que passaram a se instalar em seus casarões.

O sargento-mor, cujas posses se destacavam das de seus pares, encontrou um belo terreno na Lapa, com uma extraordinária vista para o Tejo. Nada menos que um quarteirão inteiro. O contrato previa que ele deveria concluir a construção em dois anos, caso contrário perderia a edificação inacabada e o próprio terreno. Ele e sua mulher, Isabel Pires Monteiro, que haviam passado dois anos peregrinando ao longo do caminho de Santiago de Compostela, para dar graças ao fato de terem sobrevivido ilesos à hecatombe, trataram de empenhar-se na tarefa. Não se contentaram em fazer o que seria uma casa com sólidas bases e amplas dependências. Exageraram na suntuosidade do sobrado de três pisos. Na área térrea, destinada aos serviços, como era o costume na Colônia, havia onze cômodos. No andar superior, outros nove, com várias salas e aposentos íntimos, além de entradas e acessos aos pátios. As sóbrias dependências para empregados e escravos ficavam no terceiro andar. Para completar o conjunto arquitetônico, foram cultivados belos jardins, com árvores frutíferas e uma infinidade de plantas, muitas delas típicas do Brasil. Painéis de azulejo produzidos com exclusividade adornavam grossas paredes. O luxo se manifestava também nos móveis, na tapeçaria e nos adornos. O pai do desembargador cumpriu à risca a obrigação mantida em contrato, investindo uma fortuna no solar, além do que despendia em sua vida social, marcada por todos os sinais de opulência que o distinguiam como um súdito muito relevante. Entre outras proezas, ele emprestou dinheiro ao próprio marquês de Pombal, o que lhe garantiu o direito à posse de um imenso terreno na rua Augusta, acesso principal à grande praça de onde se descortina o rio. Na área que recebeu, ele construiu uma série de belas casas.

Seja pelo que restou de novo e concreto depois da morte de seu pai, seja pelo que foi encontrando pelas ruas ao desembarcar em Lisboa, o desembargador João Fernandes de Oliveira tem a estranha sensação de revisitar uma cidade onde lhe parece jamais ter ido. Um sentimento contraditório, mas expressão da verdade. Saber de um acontecimento catastrófico e dele ouvir relatos ou ler informações é uma coisa, constatar as consequências *in loco*, ainda que depois de alguns anos, é muito diferente. Da mesma forma que ter notícias da família, de longe, pode não corresponder à realidade em todo o seu amplo espectro. E é por razões bastante particulares que o desembargador faz aquela viagem, decidida – a princípio, por motivos comerciais – desde 1768, porque ele pretendia ajudar o pai a realizar as tratativas para concluir o sexto contrato para exploração dos diamantes. A transação aconteceu e se completou quando o filho ainda estava no Brasil, abrindo a possibilidade de que fossem explorados os rios Pardo Pequeno e Grande. A permissão aconteceu em outubro, bem antes da partida do desembargador para Portugal. Sua ida, portanto, deveu-se mais a resolver questões particulares.

Ao chegar, ele sabe em detalhes o que levara seu pai à morte e o risco que passara a correr em relação à herança. De fato, não pôde ter vindo ao Reino em uma hora mais apropriada para realizar manobras destinadas a evitar grandes problemas. O sargento-mor havia tido uma convulsão um mês antes de morrer, ficando com metade do corpo paralisada, mas sem nenhuma consequência para sua saúde mental. Inteiramente lúcido, aceitou alterar seu testamento a pedido da esposa, Isabel, que assim garantiu o direito à metade dos bens dele, além da devolução do dote. Era muito mais do que ficara acertado entre eles no acordo pré-nupcial, e feria interesses do filho que, sozinho, nos dezesseis anos anteriores alcançara grande êxito na administração do contrato de exploração de diamantes e por isso merecia respeito e admiração das autoridades portuguesas, que nele confiavam inteiramente. Além de cuidar de sua parte no negócio, o desembargador também era responsável por verificar periodicamente se os interesses da Coroa não estavam sendo prejudicados na Colônia, por apropriação indébita do que cabia ao rei, tanto em espécie como em tributos. E ele honrou plenamente sua tarefa, embora seus desafetos no Brasil tentassem insinuar que não colocariam a mão no fogo por sua lisura.

O próprio negócio da mineração diamantina acabou mudando depois da volta do desembargador a Portugal. Por uma série de razões, inclusive o desejo do rei de ter mais controle sobre tudo o que se passava no Brasil, até por não contar mais com um de seus colaboradores mais confiáveis no além-mar. João Fernandes e as autoridades da Coroa logo se deram conta de que, por motivos particulares, o contratador não poderia retornar à Colônia com a brevidade que desejava. A necessidade de entrar com recurso na Justiça, para evitar que o novo testamento do pai fosse considerado em seu prejuízo, obriga João Fernandes a permanecer em Lisboa sem previsão de retorno, ao contrário do que pensara antes. Apesar de ter tomado todas as providências para que o contrato estendido mantivesse a qualidade em sua ausência, delegando a responsabilidade a pessoas capazes, a confiança das autoridades do Reino estava depositada nele, desembargador, e isso era algo impossível de delegar. A Coroa, então, decretou o monopólio régio sobre a extração de diamantes a partir de janeiro de 1772, um mês depois de findar o sexto contrato do sargento-mor, há dezessete anos mantido à risca por seu filho. A decisão foi justificada pelo próprio rei, dom José I, alegando como motivo a morte do signatário original do documento e a necessidade de "liquidação das contas firmadas entre ele e seus sócios". A intenção foi "evitar as desordens, coibir os abusos e fazer conter a todos no limite do que é permitido", de acordo com documento redigido pelo cada vez mais poderoso marquês de Pombal.

No primeiro momento, após a decretação do ato, o administrador-geral do Arraial do Tejuco continuou sendo Caetano José de Souza, a quem o desembargador entregara a gestão do contrato e que, de fato, concluiu todos os trâmites de encerramento ao longo dos anos seguintes. Assim, o trabalho foi delegado exclusivamente a administradores públicos, designados pela Coroa, a via Real Extração, sob a responsabilidade de um integrante da Intendência dos Diamantes.

Terminava, assim, mais uma etapa do largo período de extração predatória de pedras preciosas na Colônia, iniciado em 1720, antes do nascimento do desembargador, quando foi criada a Capitania das Minas Gerais, uma área antes agregada à de

São Paulo. A Coroa decidiu ampliar a fiscalização ao perceber o potencial de riquezas ali concentrado, como bem havia demonstrado o ciclo do ouro ainda em curso. A descoberta da existência desse mineral precioso e de diamantes, no século XVIII, foi fundamental para a expansão dos núcleos urbanos nas Minas Gerais, como o fervilhante Arraial do Tejuco, assentado a princípio modestamente nas proximidades do córrego São Francisco. Esse lugarejo cresceu tanto que superou a população da Vila do Príncipe, considerada a principal da Comarca. Se a exploração correu solta no começo, a partir de 1734 foi restrita pela Coroa, que definiu os limites do Distrito Diamantino com marcos e postos fiscais. Teoricamente, ninguém entrava ou saía dali sem controle. O sistema de contratação, assumido pelo sargento-mor João Fernandes de Oliveira, aumentou a fiscalização sobre as transações na área, na tentativa de impedir o contrabando de pedras preciosas. Se não bloqueou totalmente as tentativas de burlar o Reino, tamanha era a amplitude da área a fiscalizar, a atuação do contratador foi providencial e devidamente reconhecida. Com a decretação do monopólio real, a região foi mantida sob controle ainda mais rígido, e os escravos, antes a serviço particular, passaram a ser alugados para os representantes da Real Extração. Tem início um novo momento na vida da Colônia e, particularmente, na do desembargador, que tanto se dedicara à tarefa que o pai lhe delegara e, agora, longe da Colônia, não pode mais desempenhar tal função.

O desencargo, se por um lado significa redução nas possibilidades de aumentar sua fortuna, por outro representa alívio para João Fernandes, que se vê livre de uma série de preocupações e pode voltar-se inteiramente a seu litígio com a viúva do pai. Sabe que não será um embate fácil, pois ela tomou todas as precauções para legitimar o novo testamento do marido. O fato de ele estar completamente lúcido, embora entrevado, conta a favor dela. Há testemunhas fidedignas para provar que a alegação dela é verdadeira, uma vez que em seus derradeiros dias ele permaneceu sob os cuidados de médicos e religiosas carmelitas, além de contar com o conforto espiritual de seu confessor. Um dos primeiros atos de seu filho, ao chegar a Lisboa, foi visitar a tumba paterna no convento de Nossa Senhora de Jesus. Enterrar os mortos em terrenos sagrados é um costume em Portugal e que os súditos da Coroa implantaram também na Colônia. É uma deferência reservada especialmente a pessoas de relevo na sociedade, como o sargento-mor, considerado um dos homens mais ricos do Reino. Conquistada com imensos riscos, assumidos por ele e por seu filho, toda essa fortuna está sob ameaça de uma partilha que a João Fernandes parece totalmente injusta e fora dos acordos firmados pela agora viúva Isabel Pires Monteiro, que arisca se mostrara às pressões para que se casasse com o contratador original. A convivência com aquele que, a contragosto, tomou como marido na Colônia, abriu um mundo de possibilidades para ela, que antes só conhecia o Rio de Janeiro. A união se tornou mais sólida quando se mudaram para o Reino, e, mais tarde, quando ambos percorreram o íngreme e inspirador caminho de Santiago. Essa solidez indicou, ao menos, que havia uma ascendência dela sobre ele, a ponto de convencê-lo a alterar o testamento a seu favor em detrimento do filho. Apesar de manter-se analfabeta, como era comum entre as mulheres de sua categoria social, Isabel não é nada ingênua. Sabe que não deve se limitar à devolução de seu dote, porque no passado abriu mão de toda sua fortuna em propriedades em favor do marido indesejado. E não era pouco. Antes do matrimônio foi feita uma relação desses bens: seis fazendas, com quase seis mil cabeças de gado e pouco mais de seiscentos cavalos. Seu plantel de escravos era modesto, para dar conta de todo o trabalho que representava essa opulência material. Eram pouco mais de três dezenas. Quer tudo isso de volta. E está pronta para lutar com todas as suas forças e recursos contra o enteado. Se é guerra o que ele quer, guerra terá.

Não é bem isso que ele pretende a princípio. Seu primeiro movimento é impedir brigas para abreviar ao máximo sua permanência no Reino. Devida e confortavelmente instalado desde sua chegada no solar da Lapa, ele recorre a seus contatos. Encaminha uma solicitação ao próprio rei, para que interceda, avaliando se sua madrasta, de fato, tinha o direito de ser "meeira dos bens do casal", como ela alega. E acaba contando com a proteção do marquês de Pombal, já manifestada antes que o desembargador deixasse o Brasil, quando conquistou o privilégio de responder por suas pendências só ao chegar a Portugal, direito que acabou sendo estendido até 1775.

As tentativas de impedir que a madrasta tivesse direito ao que estipulava o testamento de seu pai, no entanto, o obrigam a permanecer no Reino, porque ela não desiste de seu objetivo. E aparentemente com razão, porque não há base real para indicar impedimento do sargento-mor ao refazer o documento. Todas as testemunhas arroladas confirmam o que se sabia: o entrevado e moribundo João Fernandes manifestou sua vontade, independentemente de qualquer suspeita de manipulação. A viúva soube fazer o movimento. Talvez não contasse com a persistência do enteado nem com sua capitulação ao próprio desejo de voltar à terra natal. E assim passa a enfrentar um oponente não apenas mais forte do que ela como mais bem relacionado. Engana-se ao pensar que seria depositária do prestígio do marido morto. Tal consideração não se herda por testamento, ela não tarda a notar, sem que se disponha a abrir mão do que entende ter conquistado naquele casamento de pura conveniência.

Seu enteado lança mão de tudo que pode para enfrentá-la. Consegue até influir na escolha do juiz que vai julgar o inventário do pai, sempre contando com sólida e explícita contribuição do marquês de Pombal, que foi capaz até de declarar oficialmente ter dúvidas sobre a incapacidade de o contratador original administrar os negócios na Colônia, não por acaso delegados inteiramente a seu filho por quase duas décadas. E nisso o ministro não exagera. De fato, o sargento-mor se desligara de qualquer tarefa referente à prospecção de diamantes, para se manter focado em uma vida de luxo ostensivo no Reino. Tal verdade, no entanto, não era suficiente para justificar o argumento do desembargador, que coloca em dúvida a sanidade paterna. Mesmo assim, ele consegue a primeira vitória, em 1773, quando recebe sentença favorável do Tribunal da Relação, que nega a Isabel Pires Monteiro o direito de meeira, que ela reivindica. Para piorar sua situação, é acusada, pelo enteado, de ter ficado com o que não lhe pertencia, como joias, tapeçarias e dinheiro.

João Fernandes respira aliviado. Consegue salvar todo o patrimônio da família que, além das propriedades que sua madrasta reivindica de volta, é bastante extenso. Seu pai, durante o tempo em que viveu no Brasil, comprou muitos bens imóveis, além da sesmaria concedida pelo governador e da fazenda próxima ao pico do Itacolomi. Às margens do rio Araçuaí, mantinha a fazenda "A Canastra", bem como oito casas, uma no Rio de Janeiro e as restantes em Vila Rica. Seu filho considerava todo esse patrimônio indivisível. Por isso se empenha na guerra judicial contra a madrasta. Demora mais do que podia ter imaginado, mas acha que agora finalmente pode cantar vitória. E começa a preparar sua volta ao Brasil, pois a saudade dos dengos de sua Chica da Silva é cada vez mais dolorida. Não há nada que se compare à sua vida com ela, à vitalidade que sua mulher ostenta ano após ano. Sente imensa falta da vida em comum, das filhas que deixara, uma bela mistura de traços, junção perfeita de um par de amantes que não fez outra coisa senão reforçar a união o tempo todo. Ninguém entendia muito bem aquele afeto, até porque ambos podiam fazer escolhas diferentes. Ele, por uma esposa branca; ela, por um novo par, que não teria dificuldade em conquistar mesmo com sua penca de filhos, uma vez que era cheia de encantos e virtudes. No entanto, prosseguiram juntos com a cumplicidade que só o tempo confere aos casais. João Fernandes não vê a hora de tê-la nos braços, de partilhar com sua Chica o dia a dia do Tejuco, as tardes ensolaradas e preguiçosas, as longas noites de brisa fresca e jogos de amor entre alvos lençóis. Sente falta até do casarão onde viveram juntos, dos cheiros do jardim e das frutas do pomar, embora na mansão que foi de seu pai haja espécies brasileiras. O sabor não é o mesmo, parece. Felizmente, não tardará para que revisite tudo o que faz sentido em sua vida, inclusive as belas paisagens do Brasil. Até mesmo as armadilhas do Caminho Novo lhe parecem menos perigosas do que instigantes. Volta a sonhar com seu *habitat* e filhos não reconhecidos oficialmente, detalhe que pouco lhe importa. Não tarda a ter uma desagradável surpresa, que vai alterar seus planos de iminente regresso.

Derrotada na briga judicial, Isabel Pires Monteiro consegue apenas reaver o dote entregue ao casar-se. Mas não capitula. Ao contrário, parte para a ofensiva. Acusa o enteado de se valer de sua excelente rede de contatos para obter vitória e coloca em dúvida a honestidade do relator do processo. Entra com um recurso para invalidar a decisão que a prejudica, depois de refugiar-se na residência de seu neto, Luís de Souza, longe do alcance do enteado para evitar qualquer tentativa de contato. Obstinada, não se amedronta diante da clara demonstração de poder dele. Sabe que talvez tenha uma chance de dobrá-lo ao fazer com que permaneça em Portugal, dada sua urgência em deixar o Reino.

Contudo, ela está enganada quanto ao empenho do desembargador em ganhar a causa. É uma questão de honra para ele, de maneira que não pretende abdicar de jeito nenhum. Decide enfrentá-la mais uma vez, deixando de lado o que tanto anseia, mesmo sabendo o quanto isso lhe custa e deve causar sofrimento a Chica, lá confinada no Arraial do Tejuco e sem informações detalhadas do que acontece em Lisboa. Certa de que a volta de João Fernandes deve acontecer logo – afinal, já se passaram anos, desde sua partida –, ela o espera com absurda ansiedade. Ela não se acostuma com a ausência dele, embora tenha tanto que fazer e mandar – para confirmar a fama que lhe atribuem. Naquele distante arraial do além-mar, a Chica "que manda" não tem nenhuma condição de ordenar a volta de seu amado, exatamente seu único e – embora não saiba – inatingível desejo.

No Reino, o poderoso desembargador permanece involuntariamente submisso ao que almeja sua madrasta. É uma luta de prepotências. Cada um com suas próprias armas, eles se enfrentam sem esmorecer. A quem observa os lances dessa tremenda disputa não resta senão imaginar quem vencerá, finalmente. Protegidos da realeza, como João Fernandes, têm trunfos, mas como ele mesmo constata, agora sua vitória está longe de ser favas contadas. Ele percebe que terá muito trabalho para dobrar Isabel, a quem seu próprio pai forneceu as armas para que tivesse chances de vitória. E, quem sabe, até aquela última vontade do sargento-mor tenha sido não apenas manipulação de sua mulher, mas uma vingança final contra o filho que o impedira de gastar além de certo limite, valendo-se dos mesmos coringas que agora o favorecem no embate contra a viúva. O velho contratador talvez tenha se surpreendido negativamente com as investidas do filho, para impedir que ele saqueasse mais o cofre da família com seus pendores para a ostentação. E, mesmo depois da morte, trata de mostrar a ele o quanto pode lhe custar a ousadia do passado tão recente. A existência de muita gente de respeito disposta a servir de testemunha à viúva, quanto à lucidez do moribundo ao refazer os termos do testamento, reforça a ideia de que ele agiu por vontade própria até como uma compensação ao que conquistara em seu segundo casamento. Afinal, Isabel lhe ofereceu a saída ideal para os problemas causados por sua própria gestão dos negócios. Se o filho conseguira ser mais eficiente é porque ele, o pai, havia criado todas as condições para sua excelente formação educacional. Tudo isso pode, sim, ter passado pela cabeça daquele homem fragilizado, preso ao leito e prestes a morrer.

Tal vingança branca nem passa pela cabeça de João Fernandes, que se concentra em creditar à madrasta todos os obstáculos que enfrenta para concretizar sua meta de retorno à região diamantina, mesmo sabendo que não terá mais direito à exploração das pedras preciosas como antes. Sempre poderá continuar seus outros negócios, inclusive o aluguel de escravos aos responsáveis por administrar o monopólio de extração.

Ele e sua Chica dispõem de um grande plantel, o que por si só lhes garante boa renda. Sem falar no que podem obter das propriedades amealhadas por direito familiar, incluindo a Fazenda da Vargem, onde passou toda a infância. João Fernandes até vê de bom grado a necessidade de recriar suas perspectivas, desde que possa estar nas terras tropicais que tanto aprecia. Mais uma vez, no entanto, ele tem de desistir de seus planos. A vida lhe apresenta mais obstáculos do que seria capaz de prever em seus piores pesadelos, caso fosse um homem de aventar nuvens sombrias em seu futuro. Absorvido o revés, trata de se recompor, pronto para um novo momento em seu embate com a resistente Isabel. E, embora ela tenha se cercado de todas as precauções que julga imprescindíveis ao momento, logo verá que não foram suficientes. João Fernandes a surpreende com um movimento decisivo e que parece a ele derradeiro para acabar com as pretensões dela. Ambos se superam nos lances iniciais de um processo que está apenas começando. Quebra de braço desigual, mas sem que nenhum dos dois possa, ainda, cantar vitória.

5

Sobressaltos da esperança

Quando é preciso perseverar

Muitas e muitas vezes Chica da Silva se acomoda perto de uma das imensas janelas não protegidas por treliça de madeira. Ali permanece, discretamente, entregue a devaneios, agora frequentes. Escolhe uma posição em que não possa ser vista por alguém na rua lá embaixo e fica olhando longe, na direção em que chegam os viajantes, na esperança de que seja a última vez que assim espera, sem descobrir no horizonte a figura de seu homem. Sabe que virá. Todos os seus instintos lhe dizem isso. Serão instintos ou desejos? Na certa é tudo o que deseja, mas se tivesse a menor dúvida sobre aquele regresso, algo em seu próprio corpo lhe diria isso. Uma inquietação, um sobressalto, um temor que fosse. Desde o primeiro dia em que João Fernandes foi embora é a certeza de sua volta que a fortalece. Não que se lembre de ter fraquejado em algum momento. Nasceu para enfrentar qualquer desafio. Não há nada que a obrigue a dar um passo atrás, a cada centímetro que se empenha em seguir adiante.

Ela jamais se sente vítima, como tantas outras escravas alforriadas com quem conversa nas ruas do Tejuco. Tem especial desprezo pelas que se dão ao trabalho de rememorar minuciosamente as desventuras vividas no passado. Afinal, a privação da liberdade fica ainda mais dolorida quando um cativo sabe realmente o que é ser livre, porque só o que vivenciou foi o cativeiro – em especial quem nasceu sob essa condição. Vir à luz em um navio negreiro ou em alguma obscura e infecta senzala faz parecer que o mundo, para quem é de pele escura, se resume a trabalhar, alimentar-se parcamente, procriar e morrer, mesmo que conviva com diferentes realidades no universo dos brancos de pele. A consciência da desigualdade absurda se abre e amplia, quando alguém confinado aos grilhões percebe que há negros em diferente condição e que não só aos brancos é permitido ir e vir livremente.

É bem verdade que a rebeldia ostensiva contra um destino inconcebível já se espalha pelas terras imensas da Colônia há muito tempo. O anseio pelo fim da escravatura chegou com os primeiros navios negreiros – um tráfico existente desde a segunda metade do século XVI, pois em 1559 a Coroa Portuguesa permitiu oficialmente o início das transações com pessoas, a pedido dos proprietários de engenhos de açúcar, ávidos por mão de obra abundante, pois não haviam conseguido escravizar os índios, ariscos e nômades demais para qualquer trabalho fixo, além de conhecedores do território, de maneira que escapavam facilmente, embrenhando-se na mata. O tráfico era um negócio tão cruel que durante o transporte dos cativos, na travessia marítima entre a África e o Brasil, quase metade dos embarcados à força morria. Não por acaso, os navios negreiros eram chamados de "tumbeiros". Quase um século depois do início desse negócio sombrio, por volta de 1630, a revolta que se manifestava aqui e ali, sem grandes repercussões, começa a se espalhar e fortalecer com a formação do Quilombo dos Palmares, que reúne grandes levas de foragidos das senzalas em uma imensa área territorial. Seu principal líder é Zumbi. Esse explosivo e emblemático foco de resistência dura mais de sessenta anos, até ser destruído por escravocratas. Contudo, antes de ser extinto, deixa a marca, o exemplo, a coragem. Com a possibilidade de gerar novos frutos, focos, insurgências. Sua existência prova que há esperança.

Essa forma guerreira de aspirar à liberdade não é, porém, a que se vê na amplidão do Tejuco, onde libertar-se é uma possibilidade legal e mais comum entre as mulheres. Dificilmente os homens negros conseguem safar-se, por tentar fugir ou angariar o necessário para alforriar-se, como era o caso de Domingos da Costa, que havia chegado ao arraial de Milho Verde em 1720, trazendo seu plantel de escravos, entre os quais estava a mãe de Chica da Silva, Maria da Costa. Aliás, por mais estranho que pareça a quem não conheça os hábitos da população local, uma vez conquistada a liberdade, o próximo anseio de quem se alforria é justamente ter escravos. Assim é a vida nesses duros tempos do Brasil Colônia, em que uma das maneiras de angariar bens se assenta no aluguel de mão de obra para minas e garimpos, ou mesmo trabalhos braçais. Até porque só brancos e muito bem relacionados na Coroa têm permissão de prospectar riquezas minerais.

Chica nunca viu problema nenhum em ser dona de seus próprios escravos. Apenas repete um padrão que é costumeiro na região onde vive – e esse é todo o seu universo. Não pretende sair daquele terreno bem conhecido, que é uma parte da demarcação diamantina. É ali que nasceu, vive e quer permanecer. Nunca lhe passa pela cabeça ir mais longe do que tem ido. Nem mesmo o Rio de Janeiro a atrai, com suas praias – ela bem sabe, por ouvir tantas vezes João Fernandes contar – onde começa o oceano, aquele mundão de águas revoltas. Seu lugar é a terra firme, onde pode plantar os pés com toda segurança, e onde estão todos os seus bens. Gosta de estar entre o céu e a terra e de andar pelos mesmos caminhos, tão conhecidos, de sempre trilhados, repletos de belas recordações.

É uma mulher poderosa em seu ambiente. Não tem contemplações e trata seus serviçais como ela mesma foi tratada. Nada de corpo mole, quer que façam o que deles se espera. E nisso não difere das senhoras brancas, legalmente casadas. Mesmo que seja preciso usar de todo o rigor. Não admite rebeldia, soberba ou anseio de fuga. Quer gente submissa em seu plantel e tem pulso firme para contar com isso. Seu comportamento permanece o mesmo, esteja ou não presente o seu desembargador. Sempre que necessário, mostra quem é que manda ali. Nem precisa se esforçar demais. Tem uma autoridade muito própria, talvez fruto de tudo o que vem aprendendo no dia a dia. Nunca precisa repetir uma ordem. Ninguém ousa contrariá-la.

Conta com a grande vantagem de ser mulher do homem mais poderoso do lugar e, mesmo em sua ausência, pode alugar alguns de seus escravos para trabalhar nas propriedades do próprio João Fernandes, como a Fazenda Pé do Morro, que fica nas vizinhanças do arraial do rio Vermelho. Muitos ali permanecem até a morte, porque lá mesmo são enterrados. E essa não é a única alternativa que lhe resta, pois além de mais terras dedicadas à agricultura e à pecuária o desembargador tem os garimpos de diamantes, os quais requerem muita mão de obra, algo que ela tem para oferecer, sempre que necessário. Mesmo que passem a pertencer diretamente à Coroa, continuam a precisar de muita gente para a prospecção. A propriedade não altera a forma de trabalho.

Como senhora de escravos, Chica sabe muito bem diferenciar a qualificação daqueles que reúne em seu plantel. Até porque eles têm diferentes valores no mercado. Mesmo entre os cativos há diferenças de *status*. São, basicamente, duas. Na base, e com preço inferior, ficam os *boçais*, assim chamados porque, recém-chegados, não falam a língua do dominador nem têm qualificação para o trabalho. Por isso são logo destinados a atividades pesadas nas lavouras, aquelas em que se trabalha de sol a sol, sem descanso. No alto dessa pequena pirâmide subsocial, estão os *ladinos*, que falam bem português e, por isso mesmo, servem de intérpretes para ensinar aos *boçais* o que deles se espera. Além disso, os ladinos têm qualificações e podem atuar como ferreiros, pedreiros, carpinteiros, carregadores e, até mesmo, quando de muita confiança, como mestres de açúcar, que fiscalizavam o processo de beneficiamento da cana. Da mesma forma, são os que se destinam às tarefas domésticas e têm direito a certas regalias, como acompanhar seus donos à missa aos domingos e, às vezes, até conseguem usar um pedaço de terra para plantar o que necessitam de maneira a viver um pouco melhor. Basta que não ousem rebelar-se.

Melhor sorte têm as mulheres negras que se tornam concubinas de seus senhores. Mas, entre elas, ninguém se compara a Chica da Silva no Tejuco. Outras alforriadas têm propriedades e escravos, embora não os dezesseis anos de vivência e os treze filhos com o homem mais poderoso da demarcação diamantina. Para uma mulher tão inteligente como ela, cada minuto ao lado dele foi de aprendizado. Não por acaso conta com o respeito de quem faz diferença, de fato, no arraial. É uma esposa de direito e que faz por merecer esse *status*. Ninguém ousa confrontá-la ou tratá-la com menos deferência do que a devida às senhoras de pele branca. Nem mesmo os religiosos, que a recebem para os ofícios domingueiros e festas de guarda sem nenhum constrangimento. É, para todos os efeitos, a mulher do desembargador, passe o tempo que passe sem que ele retorne.

O primeiro ano de solidão transcorre devagar, como as tardes de verão, um calor sufocante, que de vez em quando uma brisa faz o favor de amainar. Essa é uma grande vantagem dos lugares montanhosos. Chica, sempre dona de si, trata de acalmar a dor inicial com atividades. Assume os cuidados com o bebê José Agostinho. Depois de Simão, que carregou nos primeiros anos, como se ainda fizesse parte de seu próprio corpo, nunca mais havia ficado tão perto de uma cria por tanto tempo. Essa era uma obrigação de suas amas de leite. A dela era desligar-se dos cuidados com a criança, para que pudesse estar pronta a engravidar novamente. Assim fez durante anos a fio. Só interrompe esse destino, nem sempre aceito de bom grado, com o último varão de João Fernandes. E gosta de sentir novamente aquele pequeno ser colado a seu corpo, acompanhando a mãe onde quer que ela vá. Fruto de um grande amor e de uma paixão que não se acalmou com a passagem do tempo, a criança tem traços do pai e da mãe, uma fusão delicada de tudo o que foi vivido e sentido ano após ano de vida em comum. Por isso, olhar para ele e observar cada novo movimento que esboça funciona como um suave consolo. Quem sabe o pai não tarda a voltar, a tempo de ouvir as primeiras palavras de José Agostinho? Assim como surge, a esperança de que haverá urgência nesse retornar vai se diluindo com o passar dos dias na lenta rotina do Tejuco. E que fica ainda mais demorada quando começa o período das chuvas, deixando tudo tão úmido e triste, como um pranto que teima escorrer, mas que a coragem empurra para dentro dos olhos, formando uma imensa represa de mágoa. Essa mágoa é ainda mais difícil porque não se dirige a quem tarda a aparecer nas curvas da estrada e sim ao destino que separa pessoas ávidas a continuar juntas – ah, se pudessem!

O pai não está presente ali para ouvir quando o bebê começa a balbuciar sons desconexos, sílabas e, depois, palavras e, por fim, frases. Nem pode acompanhar os primeiros passos... A criança ganha corpo e começa a desvendar os espaços do casarão da família, depois o jardim, o quintal... sem aquela imponente figura masculina que, só com a voz, preenchia todos os ambientes – uma presença ímpar, ao mesmo tempo autoridade e amor. Palavras tão diferentes e que começam com as mesmas letras. João Fernandes, aos poucos, vai se tornando uma ausência concreta, e até pesada, em todos os lugares por onde costumava passar. Sem que de sua mulher se ouça a menor queixa. O que ela sente, guarda para si mesma. Está longe de ser resignação. Bem ao contrário. Quanto mais o tempo de distância aumenta, mais Chica reforça a certeza de que ele voltará, tão logo possa. Onde encontra forças para tamanha teimosia, senão em sua própria obstinação? Quando quer uma coisa é o que tem de acontecer, não o contrário. Essa é a maneira de entender a vida que a dona Chica, do Tejuco, construiu para si.

E, da mesma forma que se apega ao caçula, único varão que lhe resta, antes que se junte aos que se foram para o Reino, em busca de boa educação, ela se dedica às filhas, tanto às pequeninas que ainda estão em casa, quanto às internadas em Macaúbas. Não é uma tarefa muito fácil, porque é preciso deslocar-se até lá, para levar alimentos e cuidar das meninas quando adoecem – algo muito comum. Muitas vezes dá para tratar delas ali mesmo, mas há casos em que têm de ser levadas de volta para casa, dependendo da gravidade. Chica não se conforma em ficar distante de uma filha enferma. Quer se assegurar de que tudo seja feito para que se restabeleça. Ela mesma acompanha tudo, atenta aos menores detalhes, observando a preparação dos unguentos e dos chás indicados. Não descansa até que a saúde esteja de volta. Naquela família ninguém é deixado à própria sorte. Todos contam com respaldo e carinho, além de boa alimentação.

Na ausência do pai, a mãe assume toda a responsabilidade, incluindo as viagens tão cansativas e, agora, até mesmo doloridas pela ausência de seu companheiro. Era com ele que Chica se distraía dos percalços no caminho de ida e volta. Era com ele que passava as noites na casinha construída ao lado do convento, sem que as freiras jamais tenham se incomodado. Era com ele que decidia o que devia ou não devia ser feito. Agora, enquanto ele não volta, tem de resolver tudo sozinha. Não se queixa de tal sorte. Simplesmente segue adiante. E faz o que tem de ser feito. Mesmo em relação às filhas, embora João Fernandes tenha tido o cuidado de deixar um tutor, que trata mais das questões de herança do que do cotidiano – este é um assunto e uma responsabilidade materna.

Antes de partir, seu amado insistiu muito com ela sobre a importância de manter estreitos todos os laços com a comunidade local. Inclusive por intermédio das irmandades, uma iniciativa que Chica já havia tomado antes, ainda ao lado do companheiro. Esse é um ambiente em que ela se desloca com desenvoltura, como todos aqueles onde decide fincar os pés. Assim, independentemente do fato de estar em uma irmandade, pode ingressar em outras. Não são excludentes. Está presente nas do Santíssimo, de Nossa Senhora do Carmo do Tejuco e também na de Terra Santa, de longa tradição no Reino. Mesmo sem manter nenhuma igreja no fervilhante centro de atividades da demarcação diamantina, essa entidade arrecadava doações, fundamentais para manter acesa sua intransigente defesa dos lugares santos na Palestina, pois julgava que corriam grande risco por estar sob domínio de não cristãos.

Na Irmandade do Rosário, Chica se empenha muito além de oferecer doações. Faz parte da direção e, de vez em quando, assume as funções de juíza. E se mantém sempre próxima, seja com uma atividade mais intensa ou simplesmente voltada a doação de bens – algo que não se restringe a dinheiro ou pedras preciosas brutas, mas também a joias. A depender do que uma pessoa ofereça, conquista o direito de participar das tarefas mais importantes durante os eventos festivos, como carregar um dos sustentáculos da cobertura para a imagem de Nossa Senhora. Um aspecto muito peculiar dessa irmandade é a predominância de negros em sua constituição e liderança; outro, a mistura de celebrações puramente religiosas com o que se chama congado, uma festa com danças típicas e ritmos bastante leigos ao longo de vários dias. E mais: a representação de um embate entre negros e brancos. Durante esses festejos são eleitos um rei e uma rainha, que têm a responsabilidade de fazer com que tudo funcione bem. Com o tempo, entre as atribuições do rei existe até a de libertar alguém que estivesse preso por algum motivo na cadeia do vilarejo. Esse costume causa grande mal-estar na comunidade branca e, também, entre os religiosos, que consideram tais práticas desatinos, completamente distantes do espírito das festas cristãs.

Chica não se envolve nessas desavenças, acostumada a tratar com prioridade de seus próprios assuntos, que não são poucos nem de pequena monta. Observa o que acontece à sua volta, mantém a integridade, o controle da família e simplesmente segue a vida. Sem nenhum problema, participa ainda da Irmandade de Nossa Senhora das Mercês, em que também chega a atuar como juíza. Em outra instituição semelhante e que no início só admitia brancos, a Irmandade de Nossa Senhora do Carmo, ela é integrante sem muito alarde nem pompa. Tem sempre algo a oferecer. Se não em atividade direta, em esmola. Para a mulher que aguarda a volta de seu homem, esse é o limite: envolver-se na medida do necessário para que o respeito que merece na comunidade não sofra nenhum abalo, em especial entre as autoridades e os religiosos, que também detêm grande poder. Inclusive o de pôr a perder tudo o que ela vem conquistando. Bastaria uma resvalada para colocar em risco o respeito que merece.

É bem verdade que, nas distantes terras do Reino, correm boatos sobre a mulher que manteve o desembargador João

Fernandes preso aos laços sentimentais. Não falta quem, como na própria Colônia, acredite tratar-se de algum tipo de bruxaria ou encanto. Contudo, o que se comenta mais é o poder daquela mulher na cama. Em uma sociedade tão patriarcal e com base no direito do homem, não se entende como ela foi capaz de ter uma relação de casamento de fato com um homem branco, e de grande poder, a quem praticamente tudo é permitido, e que poderia escolher outras parceiras, para seu prazer, além de uma esposa de direito, para lhe dar filhos legítimos.

A fama da sensualidade das mulheres negras é uma fantasia que se espalha nas terras do Reino e que um caso como o de João Fernandes só faz ampliar. Não falta quem imagine as loucuras que aquela mulher é capaz de cometer, ainda mais agora que está sozinha e tem propriedades, não é uma qualquer. Pode escolher quem quiser para não atravessar longas noites em profunda solidão. Mas ninguém descobre um só deslize daquela mulher. E a fama de seu poder sobre o desembargador só faz aumentar quando ele se mantém – ao menos publicamente – fiel a ela. Mesmo estando tão distante da mulher e sendo um bom partido, ele não se dá o direito de iniciar um romance ou, no mínimo, ter alguém para aquecer sua cama nos longos invernos da Europa. As pessoas que imaginam Chica da Silva como uma grande devassa, uma devoradora de homens, sussurram nos becos, bem longe dos salões onde poderiam ser ouvidas. Não têm coragem de se expor, mas insistem que a negra do Tejuco não devia ter limites nem estribeiras. Capaz de enfeitiçar qualquer desprevenido.

Ela mesma sabe muito bem as histórias que inventam a seu respeito, até porque não faltam más línguas em seu próprio território. Nem se dá ao trabalho de perder tempo com falatórios. Chica da Silva é mais ela. Passa o primeiro ano em solidão, o segundo, o terceiro... Não que seja fácil. Está longe de ser uma questão de acostumar-se. Ela não quer se habituar a uma ausência que ainda acredita ser passageira. Um dia desses, quem sabe durante as primeiras luminosas horas da manhã, ou em um belo final de tarde, verá seu cavalheiro chegando, seja em uma nuvem de poeira ou sob o insistente gotejar das chuvas. Ninguém toma o lugar dele ao lado de Chica. Espera a volta com uma paciência que nada tem a ver com seu espírito indomável, sem jamais pensar em um novo companheiro.

A realidade que ela vive é muito distante das fantasias que insistem em criar sobre ela. Realmente é ousada quanto à sua maneira de viver, mas está muito longe de ser a doidivanas que procuram agregar à sua imagem. Às vezes é o que inventam a seu respeito as matronas descuidadas e envelhecidas precocemente por falta do que fazer. Os casamentos por conveniência têm um preço muito alto. Não apenas em dote, em espécie, mas em relação a tudo que roubam de uma mulher. Nada menos que alguns anseios de felicidade, que algumas nutrem, para se descolar da vida real, tão repleta de pasmaceira e mesmice. Seus dias são feitos de acordar, alimentar-se e sentar à sombra, livres do sol intenso lá fora ou das chuvas que, quando começam, parece que jamais terão fim. Os dias no

Tejuco passam preguiçosos, como essas damas de fino trato, amparadas pela lei da Coroa, que proíbe os casamentos entre pessoas de *status* desiguais.

Chica da Silva tem um cotidiano muito diferente. Não se condena a nenhum confinamento, nem mesmo ao que um verão mais quente possa indicar. Não tem receio de sair à luz, a pele afeita à quentura do sol mais inclemente. Em vez de murchar, como as brancas rechonchudas, ela se apodera da luz que recebe. E se ilumina ao deslocar-se pelas ruas do Tejuco, acompanhada de suas mucamas e, agora, sempre com o filho caçula nos braços. É toda mimos para a criança. Tem de concentrar sua atenção no que lhe dá vontade de viver. Para sedimentar uma espera que, com o passar dos primeiros anos, ela já sabe que pode ser mais demorada do que parecia, a princípio.

João Fernandes tem o cuidado de se comunicar com a frequência que a distância impõe. Suas mensagens vêm com portadores, nos navios que atracam no porto do Rio de Janeiro, e, para chegar a sua mulher, ainda atravessam todo o Caminho Novo. Nada menos de dois a três meses, entre a expedição e a chegada. São luas e luas, sóis e sóis, chuvas e chuvas. E podem tardar mais ainda, quando algo trágico impede a entrega – são tantos os naufrágios nesse oceano que separa o desembargador de sua Chica! Ele tem necessidade, sim, de mandar dizer a ela o que acontece no Reino para que demore tanto a voltar, da mesma forma que precisa mandar indicações a seus administradores sobre o andamento dos negócios. Tem fontes preciosas que o abastecem com as tendências mais firmes do mercado de pedras preciosas e das intenções da Coroa quanto à região diamantina. E se, a tal respeito, não é capaz de influir para alterar a maré – seja vazante ou cheia – pode, sim, fazer de tudo para resolver os obstáculos que sua madrasta insiste em colocar em seu caminho. E é justamente esse o grande impedimento de seu regresso.

Fosse Chica da Silva, de fato, uma bruxa capaz de mudar o curso das coisas, talvez os percalços de seu companheiro não fossem tantos... Como seria fácil se a ela fosse dado o poder de resolver os problemas lá de longe com um simples passe de mágica ou uma cerimônia pagã entre ritmados batuques, mas não... ela não é de rituais religiosos africanos. Não os frequentava de pequena, quando bem próxima de sua mãe, Maria da Costa, que almejava acima de tudo melhorar sua condição sem rebeldia. Chica nunca é vista entre participantes de congada, como costuma acontecer entre os irmãos do Rosário, até por sua própria condição social. Não ficaria bem à mulher do desembargador se refugiar em liturgias mais afeitas ao mundo negro, justamente ela que tanto se empenha em branquear seus próprios filhos. Quanto mais se afasta dessas fontes, mais se aproxima de sua meta. Assim é a realidade da Colônia. Se é impossível apagar de si mesma a origem escrava, ao menos nos documentos fará o possível e o impossível para que a prole se livre dessa terrível marca, um claro impedimento para boas perspectivas de vida. Ela quer muito mais para suas crias do que conseguiu para si mesma. Não apenas a tolerância e o respeito da sociedade local, mas, de fato, um lugar abençoado pela própria burocracia. Tanto para as meninas como para os meninos, deseja casamentos de verdade, com papel assinado. Ou uma vida monástica. Desde que livres da mancha de origem. Escravos nunca tinham sido, mas sim paridos por uma cativa. Ela mesma precisa apagar esse traço do passado.

Ainda é cedo para isso, mas tornar esse anseio uma realidade requer uma boa e cuidadosa preparação. Chica da Silva bem conhece os meandros da comunidade em que vive. Foi iniciada nos rapapés da própria Corte, graças aos ensinamentos de seu companheiro. Ele tratou de burilar o diamante bruto em que ela se apresentara, ainda como sua escrava, na preciosidade em que se transformou, ao longo de sua convivência. Menos por competência de seu mestre que da capacidade de aprendizagem da aluna. Ela sempre levou em consideração tudo o que recebeu dele. A confiança mútua foi a base de tudo. E parece ter começado justamente na atitude de João Fernandes ao alforriá-la tão prontamente.

Seja por que razão for, e isso somente cada um deles sabe em profundidade, Chica da Silva sabe se conduzir muito bem. Tem méritos próprios. Não dá um passo em falso. Nem oferece motivos para falatórios – já lhe bastam os que a denigrem sem nenhuma base de razão, apenas por ser quem é e ter a força que tem. A cada mensagem de João Fernandes que chega, ela reforça a certeza de que ele retornará, porém mais tarde do que ambos imaginaram. Mesmo com todo o poder que ele tem, a madrasta sempre encontra uma brecha para insistir na reivindicação de uma grande parte da herança do sargento--mor. Tem a seu favor o fato – irrefutável, para a Justiça – de que levou para o casamento não apenas um generoso dote, como é de costume, mas também todas as propriedades a que teve direito ao enviuvar do primeiro marido. Quer tudo de volta, e ainda mais. Luta com todas as forças para conseguir o que deseja, embora as circunstâncias não sejam favoráveis a ela. Naquele momento, o desembargador tem os melhores trunfos, embora saiba que, de fato, as propriedades originais de seu pai e de sua segunda mulher acabaram se fundindo em um acordo que deixa margem para discussão. Ou seja, que depende mais de uma solução política do que do martelo imparcial da Justiça.

Ainda bem que seus próprios pertences, aqueles desvinculados da herança paterna, João Fernandes teve o cuidado de deixar fora de questão, quando fez o testamento para os filhos, antes de partir para Portugal. Isso deixa sua mulher mais tranquila quanto ao que eles têm direito, independentemente do que possam herdar dela, que também lhes deixará o que conseguir amealhar ao longo da vida. Aliás, poupar é muito mais próprio dela do que desperdiçar. Agora que não tem mais o companheiro ao lado, evita qualquer deslize no que diz respeito a gastos. Tem tudo de que precisa para continuar brilhando na sociedade tejucana. Suas vestes, adereços, calçados e joias são da melhor qualidade e não precisam ser repostos com frequência. Continua a trajar-se com toda simplicidade em casa. E é desse conforto que, de fato, mais gosta.

Seu cuidado com os bens da família é maior ainda a cada nova mensagem de João Fernandes, dando conta de sua demora. Entre uma e outra notícia, ela oscila da alegria ao desapontamento. Ora ele diz que está tudo certo, contando com a vitória praticamente certa no embate jurídico com a madrasta. Ora, entristecido, tem de admitir que houve um novo problema. E assim, de sobressalto em sobressalto, passam os dias do casal – tanto no Reino como na Colônia. A distância parece que vai ficando maior, embora fisicamente seja a mesma. O passar do tempo aumenta a sensação de falta, mas, para Chica, jamais de perda.

A primeira vitória, em 1773, quando o Tribunal da Relação nega a Isabel Pires Monteiro o direito de meeira dos bens do falecido sargento-mor, parecia tão certa! Inclusive porque o enteado a acusava de ter se apossado de dinheiro e pertences da família. A sensação de vitória dura muito pouco, até que ela consiga impetrar um recurso contra a decisão. Não que, assim, fosse retornar ao estágio anterior à chegada de João Fernandes a Portugal, quando ela reinava sozinha sobre o destino do espólio. Suas manobras tinham sido bloqueadas pelo enteado. Mas ele mesmo, com todo seu poder, já sabe que tem de permanecer atento e firme, porque ela tem muito mais jogo nas mãos. E vai fazer todo o possível para vencê-lo. O desembargador parece ter, em seu destino, mulheres muito fortes. Esta senhora Isabel, embora não conte com sua afeição, merece respeito pela forma como luta sem tréguas. Nem a idade mais avançada faz com que sua coluna vertebral se curve.

Longe dos acontecimentos, Chica da Silva tem de se ver apenas com as consequências. É só nesse aspecto que consegue interferir. E o que faz, ao saber das tristes novidades, é protelar a esperança, certa de que o desembargador conseguirá livrar-se de tão complicado problema, com todas as armas de que dispõe. E não são poucas. Sua mulher não sabe muito da política em voga no Reino, mas sim – e por alto – da capacidade que seu homem tem de negociar. Não foi capaz de manter um contrato de prospecção de diamantes de uma forma bem mais proveitosa em áreas antes proibidas? E também de continuar na atividade, quando tudo parecia levar ao fim da concessão aos particulares? Faz tempo que a Coroa indica a tendência a assumir diretamente aquela fonte de recursos, mas não fecha a questão. E cada novo período conquistado significa mais ganhos para os cofres da família.

É certo que manter uma prole tão numerosa requer um bom dispêndio de poupança. Mas João Fernandes deixou tudo muito bem preparado. Até mesmo o alto valor que tem de ser pago para que as filhas se tornem freiras pode ser revertido, caso seja necessário e algumas delas não tomem de fato os votos, deixando de seguir o destino religioso. Tanto ele como Chica não tendem a impor às meninas algo que se recusem a cumprir. Se for o matrimônio que desejarem, na época certa, sairão da clausura. Só mesmo ao caçula foi indicado um caminho bem definido, cravado até mesmo no testamento do pai, na esperança de que seja pároco e para seu sustento como adulto é destinada uma quantia anual. Se o futuro dele for esse mesmo, o garoto não terá de se preocupar com o básico e terá muito mais. Resta saber se José Agostinho vai mesmo nessa direção.

As posses da família são de tal monta que o pai, antes de assumir legalmente toda sua prole, teve condições de decidir como será o futuro de cada um dos filhos "naturais". Sem contar com todas as despesas decorrentes do esforço de branquear suas origens. Isso também custa e não é pouco. Tal direito está assegurado até para Simão Pires Sardinha, que tem seus próprios recursos, herdados do pai de fato, não de direito. O auxílio que João Fernandes oferece ao enteado não está contabilizado em suas finanças, mas deve ser considerável, uma vez que depende da liturgia da Corte. E viver em Lisboa com conforto não é nada simples. Se bem que o rapaz conta com moradia certa, no solar da Lapa, que o sargento-mor não havia erguido para dar guarida a quem não fosse da família. Tinha em mente, na época, seu bem-estar e o da mulher, que agora vive às turras com seu único filho varão.

No distante Arraial do Tejuco, Chica da Silva desconhece as particularidades desse cotidiano. E será poupada de alguns detalhes bastante significativos do que vem pela frente, uma vez que só lhe chegam as sínteses dos embates, o que sobra no final de cada combate. O que lhe interessa é que um dia desses chegue um mensageiro com a notícia mais aguardada: João Fernandes prepara a bagagem para retornar ao Brasil. Dessa vez definitivamente. Com todas as suas pendências resolvidas e a herança recuperada em todo seu esplendor. É o que ele, tão distante, também deseja. No entanto, por incrível que pareça, quanto mais almeja voltar, mais se distancia dessa meta. Na ânsia de nada perder em propriedades, em vez de tentar um acordo com a madrasta, aposta todas as suas fichas em um desfecho bem triste para ela. E, assim, faz de seu dia a dia um sem-fim de protelações. É como se adiasse a própria vida que, como é finita, não admite desperdício de tempo. Envolvido em brigas, na ânsia de ganhar tudo, ele se arrisca a perder o que tem de mais precioso, lá longe, do outro lado do Atlântico. Cego, parte para mais uma ofensiva. Dessa vez, no escuro de uma triste madrugada.

6

Inesperada viradeira

O preço das alianças

Isabel acorda sobressaltada, imaginando ter sonhado que, finalmente, conquistou a vitória. Em meio à escuridão, ergue a cabeça dos travesseiros e aguça os ouvidos. São ecos distantes do devaneio, do sono, ou há mesmo estranhos ruídos na madrugada tranquila desse recanto em Lisboa, onde não está habituada a permanecer? Antes vinha de vez em quando, para uma visita breve ao neto, Luís de Souza, ocupada com sua intensa vida social na Corte, um prazer a que teve de renunciar a contragosto. Se pudesse escolher, jamais deixaria os salões e salamaleques do convívio com a elite daquela cidade, ainda mais bonita depois da reconstrução. Nem mesmo as recordações do terror, durante o terremoto, foram capazes de roubar o encanto que uma existência de luxo exerce sobre ela. Aliás, é de onde tirou o alento necessário para aguentar o casamento de conveniência. Não gosta do que é obrigada a enfrentar agora. Puro castigo, parece.

Depois que escurece, quando a cidade se ilumina lá longe e fervilha entre conversas e danças nos salões reais, aqui no campo tudo é silêncio e todos se recolhem na Quinta da Sapataria. A pasmaceira só se altera quando o vento buliçoso teima em chacoalhar o arvoredo em torno. Esse é seu refúgio há meses, desde que soube da decisão favorável a João Fernandes nos trâmites sobre a legalidade do testamento refeito de seu falecido marido. Achou melhor se esconder, receosa de algum perigo que não sabe muito bem definir. Mau presságio, simplesmente. Não que considerasse o enteado capaz de planejar e concretizar algum tipo de violência física contra ela, mas a intuição lhe diz que o melhor é exagerar na discrição. Como, aliás, convém a seu próprio estado civil. Não mais de luto fechado, mas de profundo recato. Impressiona bem.

Estar fora do alcance da comunidade, naquele momento difícil, significa no mínimo ficar a salvo dos comentários que se cansou de ouvir de pessoas alinhadas a João Fernandes, por simpatia ou comprometimento, acusando-a de se prevalecer da fragilidade de um moribundo. É o que corre à boca pequena por toda Lisboa, por causa do litígio aberto no seio da família Oliveira. Está certo que, sim, ela fez o que estava ao seu alcance para convencer o sargento-mor a alterar o testamento, antes muito mais favorável ao desembargador. Contudo, em verdade, ela até se surpreendeu com a facilidade da empreitada a que se havia disposto. Esperava ter encontrado mais resistência ou mesmo uma negação a seu pedido. Sabia muito bem os riscos a que se expunha, mas ousou, preparada para lançar mão de uma infinidade de argumentos se o marido fizesse muitas objeções. Ele era um homem que, quando encasquetava com uma coisa, dificilmente mudava de opinião. Mas, em seus últimos dias de vida, o enfraquecido João de Oliveira, pai, concordou com ela, sem esticar muito o assunto, seja por considerar que ela tivesse razão ou por cansaço, tão frágil se sentia. Rapidamente, Isabel procurou entre seus parentes que viviam na cidade a pessoa certa para realizar o trabalho de redação, que ela mesma não tinha competência para fazer. Melhor mesmo que não tivesse, caso contrário o falatório desfavorável seria ainda mais insistente. E algumas testemunhas em condições de jurar pela sanidade mental do doente terminal poderiam ter escrúpulos em colocar suas mãos no fogo pela viúva, temendo que alterasse algum combinado. Deixando tudo nas mãos de um terceiro, sob a vigilância de freiras e médicos, não houve quem titubeasse. O documento apresentava, de fato, a vontade do moribundo, expressa clara e solenemente, embora sua respiração estivesse ofegante o tempo todo. Cada frase era dita com visível esforço, ou talvez um velado anseio de acabar logo com aquilo.

O passado recente lhe vem à cabeça em segundos, enquanto seus olhos se acostumam com a escuridão. Os ruídos, Isabel nota agora, são insistentes batidas na porta de entrada.

O que poderia ter acontecido de tão urgente para interromper o descanso dos donos da casa no meio da noite? Afasta as cobertas, levanta e se aproxima da porta cerrada, para ouvir melhor, mas nem se atreve a sair do quarto, vestida em trajes íntimos. Fosse o que fosse, não lhe diz respeito. É apenas hóspede e bastante discreta, portanto só lhe resta aguardar pelo amanhecer para que lhe contem o que houve na mesa do café. Lentamente, para não esbarrar em nenhum móvel, ela faz o trajeto de volta ao leito. Não chega a se deitar de novo. O barulho, antes apenas insinuado, aumenta de volume, indicando a presença de pessoas se aproximando pelo corredor. De repente, a porta é escancarada e ela se vê diante de rostos desconhecidos, vagamente iluminados pelo candeeiro que o serviçal carrega. Sem entender do que se trata, protege o colo, em um gesto típico de recato e defesa, acionado pelo espanto. Por Deus, o que está acontecendo?

Um dos homens, sisudo e autoritário, se adianta e diz a que vem: juiz que é, traz uma ordem escrita de próprio punho pelo Pombal. Está autorizado a levar dona Isabel. Para onde e por quê? As perguntas vêm atabalhoadamente à boca da senhora assustada, os olhos esbugalhados, a testa franzida entre as sobrancelhas fartas. Se é um homem que representa a Justiça – ela conclui, atemorizada –, ele está ali para levá-la à prisão. Mas como... presa sem que tenha cometido crime nenhum? Acostumada a ditar ordens, deixa escapar uma, porque a frase não sai em um tom moderado: que aguarde, então, até que ela se recomponha. Sabe que não adianta resistir. Será levada por bem ou por mal. Acredita, no entanto, que poderá se arrumar com privacidade e devagar, enquanto reúne suas roupas e seus pertences. Aguarda que o juiz se afaste um pouco, permanecendo ali fora, mesmo que deixe a porta apenas encostada. Nada consegue. Deixa o orgulho de lado e parte para a súplica. Novamente, sem êxito, pedindo que ele aguarde até o amanhecer. O juiz não arreda pé, e ela não tem outro jeito senão vestir algo por cima da roupa de dormir e seguir com ele praticamente do jeito em que se encontra. A única regalia oferecida é que pode levar uma escrava com ela. Finalmente, uma lamparina para clarear um pouco a sombra daquele momento que mais parece um pesadelo do qual se esforçaria por acordar: se pode contar com uma companhia, talvez seu destino não seja a prisão.

O juiz não conduz Isabel a uma cela infecta de masmorra, porém o que a aguarda só nesse aspecto é diferente de perder a liberdade. A ordem do marquês de Pombal é que ela seja levada ao convento de Nossa Senhora dos Poderes de Vialonga, uma localidade ao norte de Lisboa, na Quinta de Santa Maria. O mosteiro fica sob responsabilidade das freiras clarissas, uma irmandade criada por Santa Clara. Isabel é entregue, do jeito que está, quase ao alvorecer, aos cuidados da madre superiora, com recomendações expressas para que permaneça absolutamente reclusa. Não pode se comunicar com ninguém nem tem direito a visitas. Então, o enteado conseguiu finalmente o que pretendia: impedir que ela continue lutando por direitos que acredita ter. Se a ordem veio diretamente de Pombal é porque o desembargador usou todos os trunfos, incluindo o fato de ter acesso, sem restrições, ao homem forte da Coroa. Ao menos sabe que não ficará à míngua, porque na sentença que deu ganho de causa a seu enteado, ele assumiu a obrigação de lhe enviar uma mesada, garantindo seu mínimo sustento. É o que ela recorda, tão logo novamente se recolhe, nas acomodações monásticas, tão rústicas e totalmente diferentes das que está acostumada. Não deixa de ser um alento, naquele oceano de dificuldades em que se vê lançada. Mais sozinha do que nunca.

No entanto, entre o que a Justiça definiu e a realidade, o que ela constata com o passar do tempo é a ausência de qualquer remessa de dinheiro. E precisa desses recursos, como as filhas de João Fernandes também necessitavam para se manter, quando internadas na distante Macaúbas. Só oferecendo pagamento é que internas ou recolhidas aos conventos podem ser mantidas com um mínimo de dignidade. As freiras não têm recursos próprios, porque fazem votos de pobreza. Suas instituições não têm a liquidez dos negócios mercantis. Quanto mais o tempo passa, mais se torna difícil manter a enclausurada, assim incapaz de contribuir com seu próprio sustento. Para resolver o problema, à madre superiora não resta outra saída senão comunicar-se diretamente com o marquês de Pombal, de quem partiu a ordem para manter a senhora reclusa. A freira envia diversas mensagens ao poderoso ministro; não desiste de contar com sua ajuda, até que ele finalmente intercede, convencendo o contumaz devedor a honrar o compromisso. Mas, entre a internação compulsória de Isabel e o começo do pagamento das mensalidades, três anos se passam.

João Fernandes não deixa de cumprir o prometido por mero esquecimento ou falta de recursos. Irritado com o que considera ousadia da madrasta ao afrontá-lo, a princípio se recusa a acertar as contas com ela, mesmo que tenha concordado antes com a remessa regular de dinheiro, relembrando uma justificativa já apresentada como peça de acusação. Alega que ao fugir para a propriedade do neto, ela carregou, ilegalmente, bens familiares, como joias e dinheiro vivo, pertencentes ao sargento-mor. Daí sua certeza de que, mesmo sem receber as mensalidades, a madrasta não estaria vivendo em extrema penúria, como alegava a madre superiora. Faz tudo o que pode para manter fechado o cofre, a salvo da mulher que considera usurpadora. Sabe que em algum momento terá de cumprir o acertado, por isso traça uma boa tática. Ele não faz nenhum movimento sem calcular todas as consequências que pode gerar. Afinal, conta com muito apoio entre seus pares. Não teme recriminações.

Assim, resiste à pressão até o limite máximo. Parece que a cada dia ganho sem atender a madrasta é uma pequena vitória. Quando volta atrás, isso não representa a mais leve intenção de abrir a guarda em relação à Isabel, porque o litígio continua. O fato de ter conseguido mantê-la reclusa no convento apenas dificulta as investidas que ela possa colocar em prática; portanto, não o tranquiliza nem o isenta de continuar batalhando pelo direito pleno à herança. Afinal, o recurso impetrado por ela ainda não foi negado oficialmente. Qualquer descuido pode significar uma grande perda. Por isso, ele consegue intervir novamente na nomeação do colega que vai fazer o inventário do pai em segunda instância. Cuida para que o escolhido seja um desembargador de sua inteira confiança. Pelo menos nisso está resguardado. É mais precaução do que um sinal de que as marchas e contramarchas estão prestes a acabar. Enquanto ganha tempo, mantendo a madrasta enclausurada, ele decide concretizar um plano que vem traçando há tempos. Se tarda um pouco a colocar em prática esse projeto é porque são tantos os detalhes a cuidar que seu retorno ao Brasil se torna ainda mais longínquo do que ele possa imaginar. É o que emperra seus movimentos, às vezes. Sabe o que é preciso fazer, mas adia ao máximo para manter a esperança acesa. Anseia demais rever as terras de além-mar, do contorno delicado e belo da recortada baía do Rio de Janeiro, de sentir o calor do sol na pele. Ah, como é diferente o clima dos trópicos! Sobretudo sem aquele inverno cruel, que gela até os ossos de um pobre cristão.

Há um jeito quase infalível de imortalizar o que ele entende ser seu direito de família e esse é o momento certo, porque estão reunidas todas as condições para conseguir o que deseja, tamanha é sua influência e proximidade com a fina flor da realeza. Resolve instituir um morgado, compromisso entre quem solicita e o rei em pessoa. De fato, sua iniciativa é vitoriosa e consagrada por "Régia Provisão". Protegido pela própria Coroa, ele garante que tanto seu nome como o que lhe cabe em bens, caso ele morra, passe diretamente a seu primogênito. Em contrapartida, obriga-se a retribuir devidamente o que lhe foi concedido. É um benefício acessível apenas aos poderosos, com livre e bom trânsito na Corte, e que bem cabe no ditado popular: uma mão lava a outra.

Quem pede para que seja instituído o morgado se obriga a imobilizar uma parte de seu patrimônio e tem de destacar uma de suas propriedades para sede do que foi acordado. A que o desembargador João Fernandes escolhe para esse fim é a Quinta de Grijó, em Vila Nova de Gaia, e que ele comprou depois de regressar a Portugal. Essa propriedade havia sido absorvida pelo Estado em detrimento dos monges agostinianos, que perderam o direito de mantê-la. Justamente por ter passado às mãos do desembargador, seu primogênito – e a quem coube a administração do morgado – passa a ter mais um sobrenome: João Fernandes de Oliveira Grijó. Como beneficiado, ele tem de absorver o nome da própria sede, como é de praxe nesse tipo de transação. Não foi por outra razão que seu pai tratou de comprar vários bens imóveis quando voltou ao Reino, onde até então não tinha nada de inteiramente seu, desvinculado do que pertencia a seu pai. Tudo o que tinha, apenas em seu próprio nome, estava longe, nas terras da Colônia. De nada lhe serviriam se em função dos problemas com a madrasta tivesse de lançar mão do morgado. João Fernandes de Oliveira Grijó tem de cumprir à risca todas as obrigações estipuladas no contrato. Só havia uma cláusula perpétua: um centésimo de tudo que rendesse do morgado deveria ser destinado, todos os anos, a uma causa piedosa, entre as opções que ele mesmo sugere no documento. A quantia poderia ser empregada na alforria de escravos, em esmolas para pessoas mantidas em cativeiro ou, até mesmo, na oferta de um dote a alguma moça solteira sem condições de casar-se por falta desse recurso.

Essa destinação era líquida e certa, assim como as responsabilidades que assumia João Grijó. Se assim fizesse, conquistaria o direito de passar a herança a seus próprios filhos, desde que os reconhecesse. Ele mesmo, que ainda trazia na certidão de nascimento a triste lacuna da ausência de paternidade, acabou sendo legitimado por interferência real. Mas, se houvesse algum impedimento, ele poderia ser substituído pelo irmão Antônio Caetano, o segundo na linha sucessória do desembargador, embora ainda "ilegítimo". As cláusulas do morgado são muito claras e estipulam a preferência por um filho ou uma filha legítimos em vez dos chamados "naturais", como foi o caso de João.

A transmissão do direito de herança pelo sangue traz à luz outra importante característica do morgado: cria uma linhagem, ligando antepassados a membros atuais e futuros de uma família. Com a clara atribuição de compromissos a serem seguidos indefinidamente sob pena de perda do privilégio. Ao enveredar por esse caminho, o desembargador está de olho no futuro, porque abre uma grande possibilidade de legitimar e branquear sua prole. De muito lhe vale o tanto que estudou no passado. Sabe como poucos manejar as veredas da Justiça, tanto em prol de si mesmo e de seus filhos como em prejuízo da madrasta.

O que está em jogo é uma fortuna fabulosa, considerada a mais relevante do Reino. O sargento-mor deixou algo em torno de dois milhões de cruzados em propriedades e bens, inclusive moeda sonante. Claro, seu filho contribuiu decisivamente para isso, ao gerenciar com competência a contratação de diamantes na Colônia e impedir a dilapidação desse patrimônio, ao reduzir as retiradas do pai no que tinha a receber, como adiantamentos, da Coroa. Os acertos de contas eram anuais e João Fernandes, o filho, sempre soube controlar entradas e saídas. A parte aventureira de bons negócios tinha sido aberta por seu pai, mas a continuidade do saldo positivo se devia a ele, porque mesmo antes de ir embora definitivamente para Portugal o sargento-mor já demonstrava uma tendência para gastar além da conta e certo descuido quanto ao acompanhamento do que estava sob sua responsabilidade. Ele deixou as coisas um tanto emboladas, até por causa do que lhe coube ao casar-se com Isabel Pires Monteiro. Embora o desembargador tivesse bens próprios, entre os que tinha direito por herança paterna, algumas propriedades do patrimônio, originalmente, eram mesmo apenas de sua segunda esposa. Era o caso de algumas fazendas de gado e de criação de cavalos, em pleno funcionamento no Brasil. Claro que havia, também, as que tinham sido compradas antes, como a da Vargem, onde o menino João Fernandes foi criado.

Entre as propriedades alinhadas no morgado estão as existentes em Portugal e no Brasil. Entre as primeiras, figura a própria Quinta de Grijó, bem como outra no sítio da Portela, o solar da Lapa, o quarteirão de casas na rua da Augusta, além de várias outras, em diferentes áreas: na estrada do Beato, no fim da rua Boa Vista, no terreno diante do convento da Estrela e na rua do Guarda-Mor. Quanto às várias existentes no Brasil, o documento cita casas no Rio de Janeiro, em Vila Rica e em Pitangui; fazendas na comarca do Serro Frio (doadas em testamento às filhas, para desfrutem em vida, mas sem que pudessem passar a herdeiros) e outras nos sertões de Minas (ao todo são declinadas quatorze, entre as quais a de Santa Rita, no Paraná, a do Jenipapo, a do rio São Francisco, a de São Thomaz e a da Formiga). Além disso, consta do morgado todo o dinheiro que seus credores no Brasil lhe devem e os bens e valores que for adquirindo até sua morte, os quais terão de ser empregados na compra de bens de raiz.

Tudo estava junto e misturado, com exceção do que o desembargador já havia deixado em testamento aos filhos, quando saiu do Tejuco em direção ao Rio de Janeiro – como bem demonstra a ressalva no caso das fazendas, localizadas no Serro Frio. Esse cuidado era tanto para proteger-se contra o que considerava ganância de sua madrasta, como porque no regime de morgadio só o primeiro filho varão era beneficiado. Os demais não ficaram ao desamparo, justamente pela existência do documento de transmissão de bens, devidamente registrado em Vila Rica, com a cláusula de que seriam donos de um terço de seus bens. Só houve uma exceção nesse aspecto: o caçula José Agostinho foi contemplado com uma quantia anual, da mesma forma que as meninas.

Apesar de ter resolvido questões que dependiam só dele, restam muitos problemas que exigem a atenção do desembargador, que vive um dia a dia conturbado, sempre atento a evitar possíveis manobras da madrasta. Com tanta energia gasta para enfrentar os desafios, acabrunhado, João Fernandes começa a ter problemas de saúde a partir de 1775, o mesmo ano em que institui o morgado. Mesmo com tanto dinheiro e posses, contra o desafio de se manter são ele tem poucas armas. Sabe enfrentar os caminhos e descaminhos da Justiça, mas se vê indefeso diante dos mistérios da medicina, embora conte com o que há de mais avançado para tratamento em sua época. Não tem um diagnóstico conclusivo, mas os médicos lhe dizem que há poucas esperanças de recuperação. A tendência é a perda contínua de forças, pois seu debilitado organismo não dá sinais de reação.

Um homem bastante reservado, ele pouco se refere a sua vida íntima, que é objeto de falatório na Corte. Afinal de contas, quanto mais o tempo passa, mais parece estranho – aos nobres e ricos mercadores – que aquele homem tão abastado não se case oficialmente. Ninguém tem conhecimento de que ele tenha feito algum movimento decisivo para encontrar uma esposa. Novamente, como aconteceu quando ele retornou à Colônia, não faltam mulheres solteiras disponíveis para um excelente partido como ele, inclusive entre jovens da nobreza.

Mas, cada vez mais enfermo, ele não manifesta esse desejo nem às pessoas com quem convive estreitamente. Nunca ninguém ouve de seus lábios uma confidência a esse respeito. Aos filhos que trouxe junto só manifesta a terrível nostalgia de sua terra natal. A falta dos trópicos fica ainda mais intensa quando o outono do Hemisfério Norte indica a proximidade do inverno, com dias cada vez mais curtos e noites tão longas quanto frias e geladas, com ventos cortantes. A saudade que sente da mãe deles guarda para si mesmo, enquanto permanece preso ao leito, o corpo debilitado. Nessa altura, sua esperança de rever Chica, de apertá-la nos braços, vai se esgarçando, rarefeita como a atmosfera das montanhas. Mesmo que eventualmente procure alguém para deitar a seu lado, na mansão da Lapa, cuida para que isso não se torne público. Ao contrário do que vivenciou no Tejuco, em Lisboa ninguém se atreve a comentar ostensivamente sua intimidade. Até porque ele a protege de todas as formas.

Sem legitimar os filhos que tem com Chica e que estão ao seu lado em Lisboa, o desembargador a eles se dedica, bem como a Simão. Trata de fazer tudo o que for necessário em sua ampla área de influência para aos poucos eliminar os sinais de origem negra que seus varões claramente ostentam. Ele os orienta a agir da melhor maneira para serem considerados cidadãos de elite, inclusive quanto a seguir os princípios cristãos à risca, para que sobre eles não recaia a menor dúvida em relação à idoneidade e à sincera religiosidade. Quanto ao futuro, define que eles devem servir ao rei e não encontra nenhuma resistência a suas indicações. Os jovens são permeáveis; jamais contrários à autoridade paterna, acostumados a seguir o que ele assegura como o caminho mais adequado. Embora ele mesmo não seja um bom exemplo nesse quesito, deixa bem claro a todos que, casamentos de conveniência são muito desejáveis, tanto para clarear a origem como para ampliar o patrimônio. Quanto a isso, João Fernandes não tem nenhuma dúvida, apesar de ter se eximido desse destino indigesto. Sabe que vai dar um jeito para completar essa missão no preparo da prole para o que lhe parece melhor, do mesmo jeito que se empenhou na instituição do morgado. Não é um homem com tendência a dúvidas. Faz o que acha certo como suas ligações com seu protetor, o marquês de Pombal.

No entanto, o que parece líquido e certo muitas vezes se desvanece. E ter surpresas negativas depois de conseguir grandes feitos faz parte da vida do desembargador. Não foi o que lhe aconteceu ao voltar a Lisboa, quando contava resolver, rapidamente, qualquer pendência em relação à herança? Se respirou aliviado ao concluir com êxito as tratativas para o morgado de Grijó, logo começa a ter todos os motivos para sentir falta de ar. Ventos sopram a seu desfavor, como os das tempestades que infernizam a vida dos navegantes. E concorrem para piorar ainda mais sua frágil saúde.

É o que sugere a morte, em 1777, do rei dom José I, a quem ele deve muitos favores. O prestígio que João Fernandes tem na Corte declina na mesma medida que o de seu poderoso protetor, o marquês de Pombal. O ministro havia governado com extrema autoridade e ampliou seu poderio especialmente depois da reconstrução da Lisboa, destruída pelo terremoto. Entre outros movimentos, perseguiu tenazmente os jesuítas, que há pelo menos dois séculos tinham grande influência, sobretudo na formação educacional de levas e levas de estudantes na Universidade de Coimbra. Pombal não se limitou a lutar contra a ordem religiosa em Portugal. Foi tão obstinado que acabou convencendo o próprio papa Clemente XIV a extinguir a Companhia de Jesus, em 1773. Os jesuítas haviam aumentado muito seu poderio, atuando como responsáveis pela catequese na expansão colonial portuguesa. Ao mesmo tempo, acabaram levando aos povos das novas terras uma visão coletivista, bem contrária à individualista e não religiosa que tanto defendia um homem como Pombal. Ele é, também, um defensor sem tréguas da atividade manufatureira, por seu grande interesse nas artes mecânicas, que floresciam em outros países, como a Inglaterra. Empenhou-se no incentivo à fabricação de tecidos e vidros, mas suas ideias não produziram os efeitos desejados e ele só consegue atiçar a irritação da nobreza, que se sentia menosprezada pelas vantagens que ele oferecia aos plebeus dispostos a se aventurar no ramo manufatureiro. Pombal encheu as prisões de desafetos políticos, e isso não o ajudou em nada, quando – já bastante idoso, com quase oitenta anos – perdeu seu principal sustentáculo, o rei dom José I.

Entre poucos prós e muitos contras, a balança não pende a seu favor quando sobe ao trono de Portugal a filha do monarca falecido, a religiosa e dogmática dona Maria I, a quem chamam de "a louca". Ela inicia uma fase tão distinta da anterior que passa a ser chamada Viradeira. Muda toda a estrutura de poder, a começar pelo marquês de Pombal, que não tem alternativa senão entregar seu posto de secretário dos negócios do Reino.

Então, com a desgraça de seu grande protetor na Corte, João Fernandes vê sua influência declinar na mesma medida em que sua debilitada saúde. E percebe que a fortuna tem um valor relativo, quando não está amparada nas melhores relações sociais que um homem pode conquistar. Já não tem o mesmo acesso aos salões reais, onde antes entrava e permanecia com desenvoltura. Nem consegue controlar os meandros da Justiça, influenciando na nomeação de quem possa beneficiá-lo, caso haja alguma reviravolta no que até agora está sacramentado. E começa a vivenciar o que indica outro ditado popular infalível, no vaivém das marés da existência: o feitiço vira contra o feiticeiro. E ninguém precisa alertá-lo a respeito. É um homem que entende muito bem os vaivéns da política. Sabe que chegou a hora da virada também para a viúva de seu pai.

Mesmo enclausurada, Isabel Pires Monteiro recebe informações do que acontece no Reino. Há todo o interesse de mantê-la a par das mudanças, uma vez que pode, caso seja vitoriosa, agir de maneira generosa com quem a beneficia. Ao saber que tem chances de, novamente, enfrentar o enteado – agora com maior probabilidade de êxito –, ela espera o momento certo para agir. No ano seguinte à ascensão de dona Maria I, consegue fazer com que chegue diretamente às mãos da rainha uma petição em que desfia todos os seus padecimentos. Conta como há anos está trancafiada no mosteiro, a pedido de seu enteado, graças à intervenção do terrível Pombal. Pior: sem nenhuma culpa, pois as acusações de que se valeu para conseguir aquele constrangimento sequer foram investigadas. Quem se colocou ao lado dele não se deu ao trabalho de avaliar se, de fato, ela ficara com bens do marido e até mesmo com dinheiro vivo e joias. Mesmo assim, lá estava ela, obrigada a uma clausura para a qual foi levada na escuridão da noite e sem direito a se vestir com o decoro e o costume. O relato é cheio de pormenores, e pinta a imagem de uma senhora piedosa e temente a Deus, profundamente humilhada e desrespeitada. Uma vítima do enteado que não faz outra coisa há anos e anos senão persegui-la e negar-lhe direitos que o marido, moribundo, lhe garantiu em testamento perfeitamente legal. Sem um pingo de caridade, aquele desembargador passou anos e anos sem cumprir a obrigação de lhe mandar a mesada que se comprometeu, na Justiça, a garantir. Isabel delineou, com fortes pinceladas, um personagem movido pela vingança, incapaz de um gesto de bondade. Lembrou que o próprio sargento-mor se queixava do filho em seus últimos anos de vida, lamentando as objeções dele às retiradas que tinha todo o direito de fazer, na qualidade de signatário da contratação de diamantes.

A viúva sensibiliza, de fato, a rainha. Em pouco tempo chega ao mosteiro a ordem real de libertar a prisioneira, que rapidamente reúne o pouco que tem e ganha a rua. Faz, agora, em pleno dia o caminho contrário daquele que trilhou, em prantos, na triste madrugada em que a arrancaram brutalmente do leito. Deixa para trás o convento de Nossa Senhora dos Poderes de Vialonga, penúrias e pesadas lembranças, para retomar as escaramuças contra João Fernandes. É, de novo, uma mulher livre para defender-se e voltar à vida pública. A primeira coisa que pretende fazer é desafiá-lo diretamente, contestando os julgamentos anteriores, desfavoráveis a suas reivindicações. Agora, com fundadas esperanças de vitória.

Apesar dos ventos desfavoráveis no horizonte, Simão Pires Sardinha, o primeiro filho de Chica que o desembargador também levou a Lisboa, tem espaço para fazer os movimentos que podem lhe garantir a sonhada habilitação a cavaleiro da Ordem de Cristo, uma honraria reservada somente aos cidadãos de relevo na sociedade, entre nobres e plebeus abastados. Para conquistar seu objetivo, tem de se submeter a um trâmite burocrático para constatar se sua origem é, de fato, a que se exige: sangue azul ou filiação legítima. Há uma investigação sobre seus ancestrais. Se tivesse sido feita com toda a lisura, a verdade seria desvendada: é filho de uma escrava, portanto se enquadra no mulatismo, um claro impedimento ao que reivindica. Contudo, Simão consegue reunir testemunhas que falam a seu favor, tanto confirmando ser filho legítimo do médico Manuel Pires Sardinha como de uma senhora de muitas posses. Tudo é realizado em Lisboa, longe da realidade, na Colônia. Nenhum investigador se desloca ao Tejuco para atestar a veracidade das informações. Muitos depoentes garantem que Simão vive no solar da Lapa e que tem bens próprios e decorrentes de herança.

Assim, ele obtém o título que tanto almeja. O branqueamento de sua origem é sacramentado e jamais colocado em dúvida depois disso. Está aberto o caminho para seus meios-irmãos. As veredas já estão devidamente testadas.

João Fernandes, confinado ao solar da Lapa, muito fraco – física e politicamente – para qualquer contenda, tem ao menos o consolo de contar com um instrumento bastante forte para manter a fortuna conquistada por ele e seu pai nas mãos de seus descendentes. O morgado lhe parece inatacável, enquanto se desvanecem as esperanças de manter seus filhos a serviço da rainha, como gostaria. Os Oliveira não são mais personas gratas na Corte. Ao menos, porém, todos têm como seguir adiante com lastro suficiente para fazer seus próprios caminhos, em especial se aceitarem o conselho do pai quanto aos casamentos de conveniência. Como foi, aliás, o de seu avô, que tantas dificuldades acabaram gerando a seu único varão.

Essa vitória é importante, em especial para o triste momento que vive seu padrasto. Quase dez anos depois de ter aportado em Lisboa, João Fernandes agoniza. Em seus delírios revisita as belas paisagens do Tejuco – escarpas de pedra, riachos cristalinos, vilas encarapitadas nas vertentes sinuosas. Amplas casas de sobrado, com imensas janelas e, vez por outra, treliças a vedar seu interior aos curiosos. Como gostaria de rever tudo aquilo ao menos uma vez mais. Chega a sentir os cheiros da mata, a ouvir a passarada ao amanhecer, a lembrar o gosto das refeições deliciosas e bem temperadas. O que não daria, nesse momento, para caminhar nas ruelas revestidas de pedras irregulares, onde qualquer descuido é tombo certo? Mesmo que fosse carregado em um baldaquim, tanta dificuldade sente para caminhar nem que sejam alguns passos. Tem vontade de rever as áreas de garimpo, agora pertencentes ao Estado português e onde os escravos trabalham sem tréguas. Já não é mais o senhor do que é extraído da natureza, mas isso pouco importaria se lhe fosse dado um dia apenas de retorno. O homem que nunca, antes, se entregou a miragens quase se sente lá mesmo. Racional demais, sabe que sonha em vão. Do mesmo jeito que delira, conhece bem a realidade em que está inserido.

Em pleno mês de dezembro, é verão nas terras pródigas da Colônia, onde as estações são diferenciadas mais pela abundância ou pela falta de chuvas do que pelos extremos de temperatura. O sol nasce mais cedo e vai aquecendo tudo, generosamente. Em Lisboa, porém, surge mais tarde e se põe mais cedo. O inverno é triste do outro lado do Atlântico. Mesmo à luz do dia tudo adquire o mesmo tom cinzento de céu nublado. E o vento cortante transforma qualquer caminhada pela rua em um desafio. Há quanto tempo ele não sai à rua? Já nem se lembra. Sabe, no entanto, que esse é o último dia de 1779 – o Natal já se foi com suas celebrações. Aos 52 anos, nada lhe resta senão o próprio leito. Sem a sedutora companhia de sua Chica. Em silêncio, João Fernandes respira com dificuldade, como se procurasse algum perfume, um detalhe que fosse, para recuperar a imagem dela. Seus olhos, marejados, se fecham lentamente. Pela última vez.

7

Resposta do tempo

A bendita demora

Naquele 31 de dezembro, como sempre faz todos os dias, Chica se recolhe pouco depois do anoitecer. O calor do verão, que escalda as pedras irregulares do calçamento, lá embaixo na rua, se decompõe na aragem noturna. Deixar as janelas abertas para o pátio é uma bênção. Refresca e traz os aromas do pomar e do jardim. Tudo tão familiar e cotidiano. Assim como a saudade. Quase dez anos sem ele. Nunca mais os sons do amor naquele quarto. Nunca mais a paixão e seus movimentos imprevisíveis, entre o arroubo e a ternura, no final. Nunca mais o conforto de um corpo encaixado ao seu, depois do amor.

Tudo é difícil, quando o que resta é só a saudade. Até mesmo os contornos do rosto daquele homem às vezes lhe escapam, misturados com os traços dele que enxerga nas filhas. As expressões que ele costumava fazer às vezes lhe vêm, em diferentes ângulos, como imagens truncadas, sem sequência. Seu jeito de sorrir, o brilho zombeteiro nos olhos marotos, um gesto largo para apontar algum aspecto da paisagem, quando seguiam juntos pelas estradas do Tejuco. Esses detalhes surgem de repente. Em geral na escuridão da noite, quando ela finalmente repousa e aguarda o sono chegar. Como era mesmo o timbre da voz dele e seu jeito de falar, entre o português de sua origem brasileira e o ligeiro, quase imperceptível sotaque, adotado nos longos anos que passou estudando no Reino? Nem sempre ela consegue lembrar direito. Até mesmo as frases que ele dizia lhe escapam, perdidas no passado, sem aquela vivacidade tão própria de quem está feliz com as coisas mais simples do dia a dia. O que ela não esquece mesmo são os gestos de ternura que sucediam o desejo tantas vezes apressado e inadiável, a maneira dele se levantar de manhã, os movimentos na água, quando, travessos, ousavam um banho de rio, longe do olhar de curiosos. Como são cristalinas e frescas as águas do arraial! Refrescam o corpo e a alma de tão leves. Há quanto tempo ela não faz uma traquinagem daquelas...

A recordação do rumor dos riachos, assim de repente, funciona como uma canção de ninar. Lentamente, Chica se entrega à doce malemolência que precede o sono. Acordará, já sabe, no ano-novo, aquele que inicia a década de oitenta. Quem sabe um recomeço? Quem sabe seu amor logo estará de volta? Mas que pergunta insistente é essa, que lhe surge todas as noites como uma provocação, uma vez que não há a menor chance, ainda, de ter uma resposta positiva? Tudo o que tem feito é não se desesperar. Então, por que o calafrio agora? Sem mais nem menos, uma sensação estranha, um desassossego. Como se o verão tivesse ido embora, com uma lufada de vento frio, daqueles que costumam varrer o Tejuco nas noites de junho. Levanta, sobressaltada, esfregando os braços, para espantar o arrepio que parece ter tomado seu corpo inteiro. Vai até a janela e constata que o verão continua naquele último dia de dezembro. Nem mesmo um chuvisco noturno caiu para explicar aquele súbito desconforto. O céu está aberto às milhares de estrelas que enfeitam o infinito. Nem uma nuvem sequer para limitar o espetáculo celeste. Nem um sinal aparente na natureza, capaz de explicar o que está sentindo. É como se uma tempestade estivesse a caminho no horizonte, com aquele aroma característico de ar mais úmido. Nada, nem um sinal de chuva.

A inquietude não se acalma. Ao contrário, parece ficar mais intensa. Mas por quê? Exceto a saudade, não há nada que a preocupe. A vida transcorre lenta e sem sobressaltos. Os filhos estão bem. As propriedades, em ordem. O ano-novo promete ser tranquilo. Pensar nisso a conforta, mas não diminui o ritmo acelerado de seu coração, descompassado que está. Vai até a moringa e toma um gole de água fresca. Passa as costas das mãos na testa. Sente que está úmida, de suor. O rosto também, de lágrimas. Percebe agora que está chorando – uma fraqueza a que raramente se permite, como naquele amanhecer em que João Fernandes se foi. Alguma parte de si mesma se ressente de uma dor que ela não sabe distinguir de onde vem. Não seria de saudade, porque esta é crônica, não aguda, e a que mareja seus olhos.

Enquanto não se aquieta, Chica evita voltar à cama. Melhor andar um pouco pela casa, descer ao jardim talvez. Não é mulher de indecisões. Nem de pensar no que vai fazer em seguida. Simplesmente faz. Estranha o vaivém de seus pensamentos. E, mais ainda, a palpitação que não cede. Sua respiração é quase ofegante. Em vez de continuar caminhando pelo quarto, sem saber ao certo se deve sair dali em busca de ar fresco, senta-se à janela. Isso vai passar, tem certeza. Basta esperar um pouco. A paciência não é seu forte, mas ela tenta. Lida com o desconforto, deixando que se acomode internamente. Aos poucos recupera o fôlego, o compasso da pulsação. Dona de si. Mas com uma sensação de profunda, imensa, tristeza. Também indecifrável. E assim retorna à cama. Para um repouso que mais parece aqueles tão necessários depois de um grande esforço para acordar de um pesadelo. Seu único real pesadelo seria se desesperar quanto ao retorno de João Fernandes. Antes de adormecer, estremece, o calafrio de novo vem percorrê-la inteira, dos pés à cabeça. Desagradável sensação. Ela se acalma, a custo. Sente as pálpebras cansadas. Aos poucos, mergulha no sono que a conduzirá ao ano-novo.

Quando acorda, no primeiro dia de 1780, não deixa a cama rapidamente, como é de seu feitio. Faz algum tempo que não tem notícias de Portugal e relembra as idas e vindas da esperança nos últimos tempos. Quando soube que, finalmente, seu desembargador conseguiu confinar a madrasta em um convento, de onde ela não podia sair nem se comunicar com o mundo externo, imaginou que seu calvário estivesse prestes a acabar. Todas as estações de sofrimento daquela via-crúcis estariam cumpridas. Restavam apenas alguns trâmites burocráticos a cumprir e ele, tão logo conseguisse, embarcaria na próxima nau em direção ao Brasil. Ao enviar uma mensagem a ela, sobre aquela reviravolta positiva, João Fernandes omitiu que nem tudo estava resolvido. Lacônico, sempre oferecia apenas o básico, sem deixar margem a muitas interpretações. Não disse, por seu mensageiro, que logo deveria retornar. Nem podia. Seria cultivar uma possibilidade que, embora ele ainda mantivesse, estava cada vez mais abalada.

Por sua própria formação, naquele distante momento, o desembargador tinha em mente todas as alternativas a que poderia recorrer enquanto Isabel estivesse enclausurada. Até mesmo porque o fato de trancafiá-la com a ajuda do marquês de Pombal não lhe assegurava senão mais tempo, para enfrentar da melhor forma o recurso que ela conseguira interpor. O processo estava longe de uma solução. E ele esticou até onde pôde o recurso da instituição do morgado. Quando, finalmente decidiu, mandou notícias. Novamente, sem indicar se e quanto voltaria. Ocultou, conscientemente, o fato de estar doente. Até para ele mesmo seria como fechar uma porta que insistia em deixar entreaberta, como para que entrasse ar fresco em um cômodo viciado e com cheiro de mofo. Admitir que a saúde o abandonava, diante de tantas preocupações em seu caminho, era demais para ele. Seria fragilizar-se ainda mais. E ele não se curvava por nada. Queria que a mulher o imaginasse viril e ativo, como sempre, não às voltas com um descanso forçado. Nem, como de fato se encontrava, preso ao leito e sem esperanças de recuperação.

Assim, ao saber da complexa e morosa constituição do morgado, Chica da Silva viveu apenas o desencanto de um novo adiamento na perspectiva de tê-lo de volta a seu lado. Nem mesmo era capaz de imaginar de que amplitude seria essa demora. A ela pareceu que talvez até valesse a pena aguardar mais, para que ele resolvesse de vez toda aquela confusão, que envolvia também as propriedades no Brasil. Já pensava, como ele, no que isso facilitaria a vida dos filhos, que não teriam de se envolver com as reivindicações da madrasta do pai. Na certa, os que estavam com ele em Portugal deveriam estar a par de tudo, quem sabe até prontos para ajudá-lo em alguma providência necessária. No mínimo, o primeiro varão, que teve de aumentar o nome, com aquele estranho Grijó. Era de todo interesse dele acompanhar as tratativas do pai, de maneira a se inteirar de tudo o que lhe caberia – tanto em direitos como deveres.

E assim os anos foram passando sem que ela tivesse mais detalhes do que acontecia no Reino. Nem mesmo soube da morte do rei, senão meses depois, por alguém que falou também sobre as reviravoltas na Corte e a desgraça do marquês de

Pombal. Imaginou que João Fernandes estivesse passando por novas dificuldades, mas sequer chegou perto da realidade. Quem dera, ele teria pensado, se fossem apenas as de sempre e relativas à luta para reverter o testamento do pai. Naquele tempo, sua mais dura batalha era pela própria vida. Fez tudo o que pôde, mas pouco a pouco as forças o abandonaram. E ele foi se apagando como uma triste vela esquecida em um velho candeeiro. Até que, além da cera, o pavio todo foi consumido. Exatamente horas antes de sua mulher, na distante Colônia, passar momentos de inquietação e tristeza, antes de se recolher, realmente exausta.

No primeiro dia de 1780, quando finalmente desperta sem as lembranças do passado e se levanta para viver a rotina caseira, Chica da Silva se sente pesada. Como se o corpo tivesse ganhado um volume que ao deitar-se não tinha. Contudo, ao mesmo tempo, internamente vai se expandindo uma lacuna, um imenso vazio, tão contrário à sensação de peso. Aquilo fica tão imenso a ponto de afetar a própria respiração. É como se, de fato, lhe faltasse ar. O calafrio imediato é seguido de um pressentimento. Algo ruim se passa com o desembargador, ela se dá conta de repente. E trata de afastar o pensamento com a mão, em um movimento brusco, solto no ar. Não é de falar sozinha, mas se fosse suplicaria o desaparecimento daquela imaginação negativa e insistente. Chega a ser pegajosa. E, por mais que ela se esforce, não desaparece. Piora. Como as nuvens escuras que indicam a formação de um temporal. E o dia está claro, ensolarado, luminoso.

A escuridão vem de dentro e ameaça trazer de novo tudo o que passou na noite anterior.

Resolve que o melhor é seguir até a igreja. Rezar ajuda nessas horas em que a mente procura complicar o que já não é muito simples. Recolher-se em oração é algo que a aproximava de seu companheiro, ele mesmo sinceramente religioso. Assim, naquela manhã, ela segue com suas mucamas, atravessa o centro do arraial e entra na casa de Deus, disposta a fazer preces em nome do desembargador. Por alguma razão que não consegue distinguir, percebe que sua esperança no retorno dele já não é a mesma de sempre. Pela primeira vez duvida que voltará. Luta para não chorar, ciente agora de que está mais frágil do que de costume.

Ela mesma se surpreende ao constatar o princípio de desesperança. Imediatamente, faz a relação entre o que sente agora e o episódio noturno, revisitado brevemente ao despertar. Com a coragem que tem, desde criança, Chica se prepara para um novo momento, nesse primeiro dia do ano. No trajeto da igreja até sua casa, de alguma forma lhe parece que não deve mais ficar olhando a estrada lá embaixo, à espera de João Fernandes. Depois de quase dez anos, finalmente ela se dá conta de uma possibilidade que jamais havia considerado. Sente que não há mais como integrar seu companheiro à paisagem. É como se ele não pertencesse mais ao país onde nasceu, tão solidamente ancorado no além-mar. A partir desse momento, começa a aguardar pela notícia de que ele terá de permanecer em Portugal, para sempre. Mal sabe, ainda, o quanto está certa.

Chica da Silva, a negra de pele mais clara pela origem de sua mãe, aprende intuitivamente a lidar com o que lhe acontece, embora seja algo bem novo. Tem sido assim ao longo de toda sua vida. E durante todo esse tempo que manteve – agora sabe – a vã esperança de reencontrar seu homem acabou se preparando para uma perspectiva com a qual não contava antes. Cada dia que passou, desde aquela triste madrugada em que ele se foi, seu espírito livre se acomodou à solidão das mulheres que vivem sem parceiro. E em condições muito melhores do que qualquer outra alforriada que conhece. Tem suas propriedades e mais ou menos uma centena de escravos. Pode viver com todo conforto, cercada de mucamas e auxiliares. A rotina do verão, no Tejuco, segue seu curso lento e previsível. Com identidade própria, faz tempo que não ouve as pessoas se referirem a ela como a mulher do desembargador. A condição é implícita, em razão até mesmo da grande prole, mas não necessária para que seja respeitada.

Chica é da Silva, não da Silva Oliveira, como assina quando é preciso, porque o nome consta de sua documentação. É assim que se consagrou nesse universo tão particular das Minas Gerais, onde os diamantes ainda continuam a aparecer no leito dos rios, mas só podem ser explorados pelos representantes da Coroa. Ela não tem nada a ver com isso. Era um negócio do desembargador e sua família e virou uma atribuição exclusiva do Reino. Em seus próprios domínios, ela manda, sim. Em nada depende da realeza de Portugal. Resolve o que está sob sua responsabilidade e sua reputação jamais é colocada em xeque. Embora as negras alforriadas, graças ao concubinato com homens brancos e de posses, tenham a fama de devassas, por encantar seus companheiros, ela, a Chica que manda, já vive sozinha há quase uma década e não dá nenhum motivo para falatórios. Ao contrário, é considerada na comunidade. Ninguém duvida de sua religiosa seriedade. Nem de sua dedicação à família. Visita com assiduidade as filhas mantidas no convento de Macaúbas, às quais nada falta.

Quando essa mulher de fibra inicia o ano de 1780 certa de que não verá mais João Fernandes, porque tudo conspira para mantê-lo em Portugal, trata de acalmar os sentimentos confusos que se agitam em seu interior. Se pudesse, não gostaria de perder a esperança, mas agora tem a estranha certeza de que precisa se acostumar com essa possibilidade, jamais admitida antes. Por algum motivo que não é capaz de entender bem, começa uma nova fase em sua rotina. E que não é diferente de tudo o que vem fazendo ao longo desses tantos anos sozinha. O entorno é o mesmo, o que muda é o que ela sente e vivencia. Nem mesmo tem com quem conversar a respeito. Quem entenderia sensações contraditórias e que se alteram sem nenhum motivo aparente? Como sempre, está por sua própria conta. E sabe que assim viverá, de agora em diante, todos os anos de sua vida.

Não imagina que João Fernandes possa ter se enamorado de alguém com quem talvez até resolva casar-se legalmente. Isso não lhe passa pela cabeça. Aliás, nunca aventou tal hipótese, embora fosse possível. Já acontecera com outras mulheres de seu tempo, mas é como se fosse um detalhe irrelevante, naquele contexto que está criando para si mesma. A de se assumir com a independência habitual, sem a delicada ansiedade que a fazia olhar para o horizonte em busca de uma silhueta muito conhecida. Não sentará mais à janela com aquela nostalgia. Não ficará acordada pensando no que, agora tem certeza, é impossível. Não contará mais com um companheiro a seu lado.

Sem saber, está se preparando para a notícia que jamais imaginaria receber um dia. De certa forma, assume uma viuvez íntima sem nenhum sinal externo. Uma viuvez simbólica, mas plena. Uma separação definitiva. Olha para seu presente como tudo que pode ter. E o instinto maternal aguça ainda mais. É na prole que vai concentrar toda a energia. As meninas, como ela, jamais verão de novo o pai, que já se transformou em uma figura perdida no tempo, tão longe vai a última vez que estiveram com ele. Estão resguardadas, por causa do testamento que ele fez. Da mesma forma que todos os filhos varões, incluindo o caçula. Quanto a isso, não há nada com que se preocupar.

Assim, Chica da Silva entra na década de 1780, com a firmeza de sempre, e a coragem que traz desde a infância. Sem saber, reúne forças para enfrentar a notícia que – nessa manhã – já se espalhara por Lisboa, mas levaria o tempo de costume para chegar à Colônia. Uns dois, três meses, a depender das rotas das embarcações. Bendita demora aquela, porque permite que, por sua intuição sobre um desfecho não desejado, ela se prepare. Os primeiros meses do ano se passam no ritmo do verão inclemente. E ela se acomoda ao dia a dia sem sobressaltos nem nostalgias noturnas. Até que um dia, para sua surpresa, chega alguém do Reino. Ela sequer nota a aproximação daquela pequena comitiva, estranha ao arraial. Faz tempo que não olha ao longe, certa de que não mais virá quem esperou por tantos anos. Contudo, no Tejuco, o aparecimento de alguém de fora da comunidade sempre causa certo alvoroço, um falatório, que chega rapidamente a seus serviçais. As mucamas ficam ainda mais agitadas quando notam que o grupo de forasteiros se dirige exatamente à casa de Chica.

Chamada a receber as visitas, ela se desloca lentamente até o salão do sobrado. Não tem ideia de quem seja. Um jovem se destaca do grupo e ela, a princípio, sequer o reconhece, mas vê que ele se aproxima sem cerimônia, como alguém da família. O que, de fato, é. O rapaz que vem a seu encontro com uma expressão grave é o filho que não vê há dez anos. João Fernandes de Oliveira Grijó abraça a mãe com ternura. Demora-se naquele aconchego. Tem um nó na garganta e uma missão na mente. Ah, se pudesse não dizer a que veio! Ah, se fosse mensageiro de uma boa-nova... Triste destino aquele de enfrentar o mar bravio e as dificuldades do Caminho Novo para tão ingrato objetivo. É um homem decidido, no entanto se sente quase indefeso diante daquela mulher com ares de majestade, tão ereta e digna em suas roupas caseiras, sem nenhum enfeite nem exagero. Ele não tem ideia de qual será a reação dela.

Pensaria, talvez, que ele viera com o pai e, por algum motivo, se adiantara? As ideias se embaralham em sua cabeça, com receio de ser duro demais com as palavras. No trajeto até o arraial até ensaiou um pequeno discurso, mas a memória falha traiçoeiramente. De longe, tudo parecia mais fácil. Está quase paralisado. E mais se intimida com o silêncio da mãe. Não, ela não faz nenhuma pergunta para facilitar o destravamento.

Agoniado, entre o receio de magoar demais e a necessidade de inteirá-la da realidade, Grijó não faz rodeios. Vai direto ao ponto. Conta que o pai morreu no último dia do ano velho, abatido por uma enfermidade que aos poucos foi minando todas as suas forças. Até que nada mais restou senão um último suspiro. Para sua surpresa, a mãe continua em completo silêncio. Quieta, ela recebe a notícia como se não estivesse ali, mas dentro de um sombrio pesadelo. O filho não sabe, é claro, mas aceitar a ausência definitiva de seu companheiro já fazia parte de sua vida, havia meses, por escolha própria. Acontece que tomar conhecimento do exato motivo agora, causa uma dor em algum lugar muito profundo de seu corpo. Como se uma parte dela mesma fosse extirpada. Um detalhe que tira um pouco o brilho de seu olhar sempre buliçoso e atento a tudo. O que cintila são lágrimas. Pela primeira vez chora diante de alguém, não escondida para que não a vejam fraquejar. Mesmo, e talvez até principalmente, que seja um filho. Ela se ampara no rapaz. Deixa que a acolha por alguns instantes. Sem pressa. Ele, também, agora muito quieto.

Naquele momento, uma vida inteira passa pela memória daquela mulher cheia de força e determinação. Lembra, em especial, o primeiro dia em que viu o desembargador e passou a ser sua propriedade. Quando seus olhares se cruzaram não havia sequer um sinal de inferioridade no dela. Nem de arrogância no dele. Foi um encontro de iguais, mesmo que a realidade indicasse uma distância imensa entre a condição de uma e de outro. Só sabe o que é a escravidão quem a viveu e sentiu o peso de seus grilhões. Mesmo que assim tenha nascido, como é o caso de Chica, seu espírito é naturalmente livre. Quem sabe tenha sido essa independência inata que a livrou da subserviência. Sabia se conduzir com altivez, mesmo antes da alforria. Quem sabe João Fernandes tenha reconhecido essa chama na mulher que quis para si e, para tê-la integralmente, intuiu a necessidade de libertá-la? Nunca esses assuntos foram conversados. Nem era necessário. A vida em comum se encarregou de mostrar a ambos que sua união era isenta de diferenças. Ali sempre estiveram, simplesmente, uma mulher e um homem. E embora ele não conseguisse afrontar as leis vigentes, impedido de casar-se legalmente com Chica, desafiou as regras vivendo com ela um matrimônio de fato. Sem legitimar os filhos, ao nascimento, havia feito isso quando já em Portugal. Fez um pedido especial ao rei e obteve a concessão. Foi um de seus belos movimentos, quando trabalhou na constituição do morgado de Grijó. Teve tantas atitudes grandiosas para demonstrar seu apreço pela companheira e pela vida que compartilharam, mas não a coragem necessária para mandar dizer a ela que estava doente. Ninguém saberá se por compaixão ou para não subtrair a esperança em sua volta, que sabia ela havia de nutrir, não importa quantos anos se passassem.

O que não poderia supor é que Chica, mesmo sem saber de sua enfermidade, havia sepultado essa esperança na manhã posterior à morte dele. Assim como pressentiu, sem atinar com o motivo, que algo de muito ruim havia acontecido em algum lugar, naquela última noite de 1779. Chica nada comenta com o filho nem diz a ele como se sente agora. É desnecessário. Para enfrentar a dura realidade que acaba de desabar à sua frente, ela, a que manda, subitamente se desvencilha do abraço. Tem gratidão nos olhos, mas nem sabe se ele compreende o que ela diz sem palavras. Sem comentários, retoma sua postura ereta e orienta a criadagem a preparar as acomodações para seu filho e quem veio com ele, bem como refeições, para que possam descansar da viagem. Levanta-se, pede desculpas porque estará ausente no jantar. Despede-se do filho e se recolhe, para viver aquele momento à sua maneira, sozinha, assim como viveu o primeiro instante que se seguiu à partida de seu companheiro. A diferença, agora, é que não haverá nenhuma volta. Se havia desistido da esperança havia meses, sabe agora que uma etapa de sua vida se encerrou completamente. Está sepultada lá longe, no além-mar que ela desconhece. Mas, estranhamente, nessa noite não se inquieta. Quando se deita, adormece quase de imediato.

Na manhã seguinte, Chica assume a viuvez publicamente. De certa forma, o luto já estava em seu íntimo desde a primeira manhã do ano-novo, quando em Portugal começavam as cerimônias de sepultamento de seu companheiro, acompanhadas por seus filhos varões e pelo enteado. Não importa o tempo que passou desde aquele dia, ela decide que vai usar os sinais externos de tristeza, embora o sofrimento da perda já tenha sido exaustivamente sentido. É o costume e será seguido. Inicia, então, os trâmites que considera imprescindíveis para aquela nova fase de sua vida, com as providências que têm de ser tomadas em situações como essa. A começar pela encomenda de missas pela alma de João Fernandes, além das que estavam previstas nas próprias recomendações dele, para garantir orações depois de sua morte. As pessoas sinceramente religiosas e com posses suficientes para contar com esse conforto, sempre deixam claro o que desejam. Ocupar-se é fundamental para ela. É assim que consegue manter as forças.

Logo cedo, avisa o filho que, depois de encomendar as missas, pretende preparar a viagem para Macaúbas. Ela mesma quer levar a notícia às filhas. Terá tempo, diz, para resolver se deve ou não mantê-las no convento. Sua intenção, avisa, é mais tarde trazer de volta as que não quiserem tomar os votos. Tem de dar um tempo para que decidam o futuro por elas mesmas.

Quer que as meninas tenham a chance de traçar seus próprios caminhos. Ela gostaria que resolvessem se casar, na certeza de que nenhuma terá problemas para encontrar um bom pretendente, pois têm dotes e propriedades; herdam, inclusive, escravos. Tudo está bem traçado no testamento que João Fernandes registrou antes de ir embora, seguido à risca pelo tutor designado.

Nesse ano, porém, Chica não pretende fazer nenhum movimento definitivo. Apenas segue para Macaúbas e reúne as meninas para informar sobre a morte do pai. Nenhuma delas manifesta grande pesar, porque pouco conviveram com ele, e mesmo essas memórias já se perdem no tempo. Claro, lembram-se das visitas dele a Macaúbas, mas depois de dez anos de ausência só restam fragmentos de imagens. A referência delas é a mãe, que sempre apareceu quando bem entendia e agora já não pode fazer isso porque há novas regras no mosteiro e bem mais rígidas quanto a visitas. Nunca mais aquele vaivém que agitava o lugar. Uma força da natureza, Chica só pode ser impedida pela restrição de acesso, porque se entrar em um ambiente faz só o que deseja.

Retorna ao Arraial do Tejuco sem nenhuma das filhas, certa de que também precisa de alguma solidão para enfrentar a nova realidade. Grijó, o filho que administra o morgado constituído pelo pai, ainda permanece no Tejuco para cuidar justamente de assuntos ligados à herança, agora sob maior risco, porque Isabel Pires Monteiro está livre para reivindicar o que considera seu direito. Delegou a função de gestor do morgado a um dos irmãos que permaneceram em Portugal. Todos seguiam à risca a recomendação do pai de manter a atenção concentrada nos movimentos de sua madrasta. Ela é astuta e tudo fará para dar a volta por cima, depois de anos e anos de clausura forçada. Foi um período em que nada mais fez senão aguçar a ira contra o enteado. Ainda mais agora que os ventos marianos lhe são favoráveis.

Longe dessas pendengas, Chica não se preocupa com a manutenção dos filhos, uma vez que a doze deles João Fernandes legara um terço de seu patrimônio. Agostinho ficou de fora porque a ele havia cabido uma quantia anual, para que se consagrasse à Igreja. Mesmo sem saber se isso acabaria acontecendo de fato. Era sua vontade. Cabe observar se será a de Agostinho, que também havia seguido para o Reino, havia tempos, para juntar-se ao pai e aos irmãos. Esse é o destino dos varões, se quiserem ter alguma chance de viver bem: o estudo no além-mar. A Colônia não dispõe de instituições de ensino para jovens; as que existem são para os conhecimentos básicos.

De todos, Grijó é que ficou com a parte do leão na herança, pois ganhou o direito de administrar o morgado e de passar tudo o que tinha a seus descendentes. Ao mesmo tempo, ganhou uma grande responsabilidade, pois além dos direitos havia deveres. E é justamente essa parte, a dos deveres, que o obriga a retornar a Portugal, tão logo recebe informações de que Isabel Pires Monteiro havia reiniciado os trâmites para validar o testamento de seu avô, o sargento-mor. Além disso, a rainha dona Maria I, na ânsia de desfazer tudo o que determinara o marquês de Pombal, havia decidido restituir o mosteiro de Grijó aos padres. Sem alternativa senão a de obedecer ao alvará que ela assinara, o jovem João Fernandes de Oliveira Grijó se despede da mãe e retorna ao Reino, onde permanece cuidando dos negócios. A morte do pai o pegou de surpresa, com a incumbência de desatar os nós de um legado tão controverso quanto extenso.

Chica toma uma decisão irrevogável quanto à permanência das filhas no convento de Macaúbas. De outra feita, já trouxera uma ou outra para casa, no Tejuco, de maneira que tivessem tratamento adequado a infecções de que foram vítimas e que não contavam com bons cuidados naquela instituição. Isso havia acontecido com Francisca de Paula e Ana Quitéria. A mãe havia assumido o risco de levá-las temporariamente, embora a viagem de volta ao arraial fosse penosa. Mas, em 1781, um ano mais ou menos depois da morte do desembargador, houve mudanças no mosteiro, com a expressa proibição da presença de pessoas estranhas na clausura. Era lá que permaneciam todas as meninas e moças, mesmo as que não pretendiam tomar os votos. Certa de que seria impedida de ver as filhas, como consequência dessa nova determinação interna, Chica da Silva decide retirá-las de lá. Com a atitude severa que a caracteriza durante toda sua vida, simplesmente chega com sua comitiva e leva de volta todas elas no mês de julho. Sem a menor possibilidade de retorno imediato de nenhuma delas. Ao exigir que fossem liberadas, ela nem sequer se incomodou em solicitar de volta o valor já pago pela opção aos votos. Para evitar qualquer movimento em contrário, a mãe levou uma autorização do governador do bispado para o que pretendia. Francisca de Paula depois decidiria retornar ao claustro – sem enfrentar nenhuma restrição materna – por mais de dez anos, até sair definitivamente para se casar.

De todas as filhas do casal Oliveira, uma não se casa nem se dedica à vida religiosa: Quitéria Rita. Ela se enamora de José da Silva e Oliveira Rolim, conhecido como padre Rolim, com quem vive em concubinato e tem cinco filhos. Ele havia se ordenado em Coimbra, antes de vir para o Brasil, onde se dedicava ao tráfico de escravos e empréstimo de dinheiro. Dizem as más línguas, sem provas, que ele estava envolvido com venda ilegal de diamantes. É um homem próspero. Letrado, inclina-se favoravelmente ao ideário republicano e se envolve com os inconfidentes mineiros, que em 1789 se rebelam contra a Coroa. Para os insurgentes, muito influenciados por ideários franceses, a monarquia é um atraso. Sabem que o risco de rebelar-se é grande, mas se entregam ao sonho da liberdade ainda que tardia, como são os dizeres que imprimem na bandeira do movimento. O grupo é muito frágil para conseguir o que pretende e não tarda a ser descoberto, dizem à boca pequena, por obra e graça de um traidor, que entrega os planos às autoridades portuguesas.

Uma vez descoberta a manobra, seus responsáveis são julgados e condenados. O pior castigo coube ao alferes Joaquim José da Silva Xavier, o chamado Tiradentes, que foi condenado à morte e teve seu corpo esquartejado, exposto em praça pública. Entre os demais inconfidentes, outros seriam executados, mas sua pena foi transformada em prisão ou exílio. O padre Rolim é desterrado para Portugal, onde fica detido durante mais de dez anos. Sem apelação.

Apesar de sua filha Quitéria Rita ter vivido com um dos insurgentes e dele ter vários filhos, ninguém jamais ouve de Chica da Silva uma só palavra sobre essa questão. Ela já tem bastante idade e não se envolve em questões políticas. Mantém-se discreta quanto ao episódio. Se é favorável ou contra o movimento, sua opinião é um mistério que guarda só para si mesma. Desconfia-se que até seu filho Simão Pires Sardinha, que depois de morar um período no Brasil retorna a Portugal e com bom trânsito na Corte, tem simpatia pelo movimento rebelde, manifestada pela remessa de livros proibidos entregue a um dos inconfidentes. Nunca, porém, foi perseguido nem acusado formalmente. Ao contrário, manteve seu prestígio e as atividades a que sempre se dedicara, desde que havia conseguido o branqueamento de seus papéis.

Discreta, alheia ao que acontece na esfera política, a matrona de quase sessenta anos mantém seu cotidiano sem contestar o poder do Reino. Conspirar não faz parte de sua índole, embora seja individualmente um ser livre por excelência.

Aliás, desde que assume publicamente a viuvez, decide viver de maneira ainda mais discreta. Pouco se expõe, exceto como uma dama temente a Deus e que cumpre todas as suas obrigações piedosas – da vivência nas irmandades às cerimônias anuais celebradas sem falta no arraial. E, claro, mantém a presença majestosa nas missas aos domingos. Com mais recato, porém. As roupas espalhafatosas ficaram no passado. Deixa definitivamente para trás os figurinos extravagantes e o tempo em que era uma pessoa que participava, com seu companheiro, da intensa vida social do Tejuco e que ele mesmo gostava de movimentar com suas festas e refeições opulentas para convidados muito seletos. João Fernandes apreciava isso – menos por ostentação que por prazer. Reunir gente interessante e oferecer boa diversão era um traço marcante dele. Aquela fase ficou suspensa, inclusive, quando ele partiu. Chica não sentia mais graça nenhuma nas idas e vindas necessárias para sublinhar a imagem pública que ambos mantinham como casal. Eles se divertiam com isso, sempre bem-humorados, felizes. Gostavam de receber, fosse na mansão do arraial, fosse na bela Fazenda da Palha, nos memoráveis eventos culturais que tanto faziam gosto ao desembargador, e que sua mulher se acostumou a apreciar com entusiasmo. Uma coisa era vivenciar tudo aquilo com ele, outra, sozinha. Trata, agora, apenas de cuidar do que é seu com um zelo bem característico de quem não pretende perder nada do que conquistou na vida. Tanto para manter seu próprio padrão como assegurar aos filhos uma herança complementar à do pai.

Como, desde cedo, se acostumou a ficar distante da prole – tanto quando eram bebês entregues a amas de leite, como depois, porque para estudar era preciso ficar em regime de internato –, ela não se intromete na vida deles, uma vez adultos. Se for preciso tomar decisões, como a de tirar as jovens do convento, não se furta, porém respeitando as vontades e inclinações individuais. Pouco sabe do cotidiano dos rapazes que permanecem em Portugal, senão por esporádicas notícias trazidas por algum mensageiro. Mas fica feliz quando retornam a seu convívio. José Agostinho, que estava destinado à batina e a cuidar de uma paróquia no Reino, não aceita esse destino e volta ao Brasil, com seu irmão Antônio Caetano, que se dedica a atividades administrativas, depois de no Reino cuidar do morgado durante a ausência de Grijó. Esse retorno aconteceu no ano seguinte ao da morte do desembargador. Isso muito agradou à Chica, porque ambos passam a morar no Tejuco. De alguma forma, parte da família se reúne novamente. Em outras condições e na ausência do patriarca, sempre lembrado nas conversas ao redor da mesa, quando compartilham uma refeição na casa da mãe.

Embora saudável e sempre dona de si, a mulher vigorosa de antes sente o passar dos anos. Ela não admite isso a ninguém, é confortável saber que está cercada por seus filhos, filhas e também netos, embora não os veja regularmente. Alguns vivem longe, no Reino e em outros vilarejos e arraiais. Depois da morte do pai, seguiram as contendas sobre a herança, com o súbito fortalecimento da madrasta dele, dona Isabel Pires Monteiro. Ela fez tudo que estava ao seu alcance para validar o testamento do sargento-mor. Depois de deixar o claustro a que foi obrigada, voltou a morar em Lisboa; não mais, porém, no casarão que construíra com o marido depois do terremoto. Ali permaneceram os filhos do desembargador com Chica da Silva. Isabel teve de se contentar com uma vida bem mais modesta, em moradias alugadas, o que de maneira nenhuma diminuiu sua determinação de ganhar a causa que foi se arrastando ano após ano. Embora mantivesse a altivez e a esperança de ganhar a disputa, morreu em 1788, nove anos depois do enteado, sem comemorar a vitória final. Sua prole também não conquistou essa ansiada meta. Ao contrário, o longo processo judicial não foi favorável aos Pires Monteiro.

Quem acabou beneficiado por tantas idas e vindas na luta pela herança do avô foi João Fernandes, responsável pelo morgado de Grijó. Finalmente e sem possibilidades de apelação da outra parte, ele foi declarado meeiro das posses do pai diante dos irmãos. De acordo com a decisão paterna, coube a ele o direito de ficar com todo o legado, bem como a seus filhos e netos. Se pensava em respirar aliviado com a sentença definitiva, ele se surpreendeu com a reação de alguns de seus irmãos que viviam na Colônia, contestando essa primazia. Assim, mesmo que não fosse a sua intenção, o desembargador acabou semeando a discórdia entre seus descendentes.

Assim como não se envolve em questões políticas, a orgulhosa dona Chica não se manifesta sobre tal contenda. Caso tenha feito algo a respeito, não há nenhuma documentação para provar. Nem mesmo relatos dando conta de ter tentado apaziguar os descontentes – no recesso do lar e longe de ouvidos alheios. Quanto ao jovem Grijó, seu primeiro filho varão com o desembargador, ela não tinha o menor acesso, pois ele continuou a viver no Reino com um oceano inteiro de distância a seu favor, mais a impossibilidade da mãe, caso quisesse, lhe enviar mensagens manuscritas. Ela continuava apta apenas a assinar o nome.

Independentemente das brigas judiciais entre os descendentes, Chica da Silva continua a viver de maneira cada vez mais discreta, e contando com o respeito da comunidade onde vive. Se não consegue seu branqueamento que João Fernandes tanto batalhou para oferecer aos filhos e ao enteado, isso não diminui sua importância no dia a dia do Tejuco. Se há comentários, lembrando sua origem escrava, jamais a alcançam, pois ela se situa e permanece em um patamar social muito elevado e sem risco de queda. Ela mesma nunca se preocupa em omitir informações de raiz. Quer viver em paz. Até que sente a energia vital diminuir aos poucos. Pouco sai à rua, exceto para as cerimônias religiosas próprias a quem pertence a várias irmandades. No entanto, sentindo-se cada vez mais fraca, acaba por interromper também essas atividades. A idade cobra seu infalível preço. E ela se adapta à nova realidade. Com o pragmatismo de sempre.

O mundo de Chica, que era o Tejuco e suas cercanias, vai se reduzindo cada vez mais. Primeiro às fronteiras do próprio arraial, sem jamais fazer pequenas viagens aos arredores onde tanto gostava de ir com seu desembargador, depois se dedica apenas a itinerários muito curtos, como o trajeto até a igreja, aos domingos, depois às dependências do próprio solar, um espaço que tanto aprecia e tão repleto de gratas lembranças. Tudo ali é recordação de sua vida com João Fernandes. Cada cômodo e móvel. Lembra até as roupas que ele lhe deu de presente, também as joias que aos poucos vai deixando de usar, mais intimamente recatada. Com dificuldade, anda pelo térreo em busca das aragens agrestes que balançam as folhas do jardim e do pomar. Gosta de ficar ao ar livre, de sentir o sol, de adivinhar os momentos do dia – se a manhã está quase acabando ou se o entardecer é iminente. Ela se esforça para fazer os movimentos que antes eram naturalmente rápidos, em especial a descida e a subida da escada. Nunca podia imaginar que esses degraus seriam uma ameaça. Mas chega um dia em que essa barreira se impõe em definitivo. Mesmo com a ajuda de suas mucamas, descer e subir parece arriscado demais. Um tombo, mesmo que não fosse fatal, poderia limitar ainda mais suas perspectivas. Acostumada a decidir sobre sua vida, ela se concentra, agora, na parte superior do sobrado, justamente onde ficam as dependências principais. O salão, outrora vibrante de eventos, é um ambiente calmo, relaxante. Repleto, sim, mas apenas de boas lembranças.

De repente, Chica não vê mais sentido em caminhar com tanto esforço até lá. Sente que a pulsação se acelera a cada passo, a respiração ofegante. A fraqueza vai tomando conta de seu corpo, a ponto de desestimular até mesmo breves andanças pelo próprio quarto. Chega um momento em que seu mundo se reduz ao leito, às quatro paredes em torno, ao janelão que traz um pouco do que vibra lá fora. Ela ainda se concentra, às vezes, nos ruídos externos, no falatório das mucamas lá embaixo, no triste canto das cigarras, no trinado dos pássaros, nos grilos noturnos, no ritmo das chuvas. Até isso vai aos poucos ficando imperceptível. Sem saber, ela desliga um a um os sentidos. Inclusive o paladar. Quando comer se torna, também, um sacrifício, é sinal de que sua vida está por um fio.

8

Momento derradeiro

Uma vida em segundos

Presa à cama, e tendo como única paisagem monotonamente constante o teto de seu quarto, Chica sente a respiração falhar, mesmo quando fica imóvel. O calor do verão pede poucos movimentos, e a dificuldade ao respirar faz com que ela se mantenha o mais quieta possível. Só a mente ainda funciona com certa regularidade, embora às vezes ela fique confusa, as recordações misturadas a imagens nebulosas, que parecem de sonho. Mesmo sem febre, delira um pouco. Fica em um estado entre as portas do sono e o despertar – estranho espaço que embaralha os pensamentos. Parece aquela imagem que se vê, misturando névoa densa, linhas de casario e vegetação, paisagem típica que mais parece um sonho, madrugadas em que o sol começa a clarear de tons rosados o horizonte.

O cheiro disperso no ar mistura orvalho e terra úmida. É inconfundível. Próprio do amanhecer em que o silêncio da noite é quebrado pelo cantar dos galos. Um pouco mais tarde, os sinos das igrejas anunciam o novo dia. E, lá fora, nas ladeiras de calçamento irregular, já muita gente passou com algum afazer urgente. Tudo tão distinto de outros instantes a seguir, quando as rotinas se sucedem, naquela cidade ainda populosa e vibrante, mesmo com o declínio da chegada de aventureiros, depois do monopólio régio sobre a prospecção de diamantes.

Ali, confinada ao leito, em seu tranquilo solar, Chica não mais distingue os diferentes costumes do povo ao longo do dia. Nem mesmo os que são característicos do andar de baixo, onde o trabalho tem uma sequência sempre igual. Foi-se o tempo em que ela estava atenta a tudo. Não deixava passar um pequeno detalhe que fosse, exigente com suas mucamas e serviçais da mesma forma que haviam sido com ela, quando ainda era escrava. Embora tenha se transformado em uma senhora de posses e pompa no arraial, suas raízes não foram esquecidas. Uma vez ou outra vêm à memória, que agora muitas vezes falha. Neste momento, porém, por algum estranho motivo, tudo lhe vem à mente de maneira linear.

Com o olhar fixo no teto, ela se lembra, em breves lapsos, das costas de sua mãe reluzindo de suor ao sol, quando a levava presa ao corpo até a lavoura. Mas o rosto daquela imponente mulher que a gerou não aparece, e ela gostaria, sim, de ver. Onde havia de estar, agora, aquela Maria com quem pouco se avistou depois da adolescência? Recorda, também, de como foi aprendendo as tarefas que teria de cumprir, para fazer as vezes de auxiliar dos adultos. Gostava de ajudar na cozinha com aqueles cheiros tão agradáveis, os quais iam se alterando à medida que novos e frescos temperos eram acrescentados ao conjunto. As panelas borbulhavam sobre as chapas de ferro que fervilhavam expostas às chamas, sempre alimentadas no interior do fogão a lenha. Algumas comidas ela nunca teve permissão de experimentar naquele começo de vida. Aos escravos só eram facultados os alimentos que os brancos desprezavam, como miúdos. Dava um trabalhão prepará-los para que perdessem sabores e aromas desagradáveis. Mas o que era reservado aos brancos, aquilo sim, era muito bom! Chica quase sente fome, a boca salivando, mas é mera ilusão e logo se desfaz como bolha de sabão. Quanto tempo faz que ingerir alguma coisa é um sofrimento imenso, tamanha é a falta de apetite? A princípio, quando começou a adoecer, ela se forçava a engolir fosse o que fosse. Depois, foi gradativamente abandonando os pratos quase intactos. Até que passou a manter a boca fechada. Como neste momento.

As imagens de sua vida se sucedem, às vezes com muita rapidez, como a do dia em que foi comprada pelo médico Manuel Pires Sardinha e a do nascimento de seu primeiro filho, Simão. Tão jovem para ser mãe, como tantas outras mulheres negras daquele arraial! O rosto envelhecido de seu dono, naquele tempo, desaparece por completo quando surge o de João Fernandes, exatamente como o viu no primeiro dia, aquele em que foi comprada por ele. Não era uma pessoa de imaginar coisas, em sua mocidade – exceto o anseio por liberdade, a ânsia por afastar-se da senzala para sempre. Sem construir fantasias, simplesmente vivia o que se apresentava. Mas aquele homem a quem passou a pertencer lhe deu o maior presente de uma existência inteira, a sua alforria muito antes do que outras mulheres do arraial conseguiam conquistar a duras penas, com recursos próprios. Ao mesmo tempo, aquele homem a manteve junto dele. Sim, quando se livrou dos grilhões, ela decidiu que ali estava o seu homem, não uma propriedade, mas um destino, uma saga, um porto seguro para alguém que nunca viu o mar.

Podia ter seguido em frente. Se quisesse, teria deixado sem problemas a casa do desembargador, rumo a outras alternativas. Era jovem e sedutora. Com um encanto que atraía olhares masculinos, mesmo que não fosse essa a sua primeira intenção. Ser internamente livre era seu maior trunfo. Assim se sentia, mesmo quando escrava, ao correr pelos campos do arraial, subindo e descendo ladeiras, para cumprir alguma tarefa que lhe cabia. Assim se sentia quando olhava para o filho Simão, ao tomá-lo nos braços, para a amamentação. Assim se sentia quando, à beira do fogão, preparava os alimentos com todo capricho, depois de colher na horta os temperos preferidos, aqueles que transformam algo trivial em um banquete.

Os momentos vividos lhe veem à mente, às vezes devagar, às vezes tão depressa que quase se sobrepõem, atabalhoadamente. É o que acontece ao relembrar o nascimento de seus filhos com João Fernandes. Tão pouco tempo ficou com eles, logo entregues a amas de leite, que as lembranças se misturam, para retomar a integridade só quando as crianças se tornam maiores. As meninas sendo levadas para o mosteiro de Macaúbas, com tantas visitas que sempre aconteceram ao bel-prazer do casal, inconformados com as imposições de horários e condições de encontros na clausura. Eles impunham sua presença, e ninguém era capaz de impedir que fizessem o que lhes dava na veneta. Ela chega a esboçar um estranho sorriso, diante de tal lembrança, substituída pela dos meninos se preparando para ir embora, rumo a Portugal. Deles sequer tem registros de sua adolescência e de quando se tornam adultos aptos a cuidar da própria vida. João Grijó, depois de ter vindo ao Brasil lhe dar a notícia da morte do pai, casou-se no além-mar, e ela jamais viu a nora nem os netos. De todas as lembranças, o que dói mais é a última vez que viu o desembargador. E das tantas vezes que esperou por ele, certa de sua volta. Houve um tempo em que ela não passava um só dia sem sentar-se à janela para observar ao longe, na esperança de captar imagens de uma comitiva em que a figura dele se destacasse. A mesma sensação que marcava aqueles instantes, em luta ferrenha com a tristeza, retorna com força agora. E se impõe de tal maneira que a expiração e a inspiração se equilibram novamente, em um ritmo tranquilo, que não lhe exige o menor esforço.

Tão mergulhada em seu interior, ela não percebe que tem visita no quarto. Além das mucamas, sempre presentes e solícitas, ali está o padre, a seu lado, em atitude solene. Devagar, ele começa os procedimentos da extrema-unção. Ela mal se dá conta do que acontece. Ouve, indistintamente, palavras que não entende. O sacerdote fala baixinho, em latim, passando uma substância viscosa em seus olhos, narinas, ouvidos, boca, mãos e pés. É o azeite de oliveira, que os padres benzem nas cerimônias da Semana Santa. Para que seja perdoada de todo e qualquer pecado, embora ela não tenha exata noção do que seja isso. É uma das partes da crença católica a que nunca prestou muita atenção, embora, quando em perfeita saúde, seguisse os rituais adequados e obrigatórios, inclusive de ida ao confessionário. Nenhum sentido lhe fazia o que chamam de pecado. Para sua natureza agreste e libertária, nada lhe parecia errado. Muito menos as arrebatadoras noites de amor, a que tanto se dedicara ao longo da vida com o desembargador. Mas sua impressão de estranhamento ao que os católicos chamam pecado ela nunca manifestou para ninguém, nem mesmo a João Fernandes. Como de seu feitio, ela sempre se adaptava ao que era necessário, sem rebelar-se, como um fato da vida.

Parece que tudo se acomoda ao redor. A tontura que a desnorteia, com tamanha quantidade de lembranças, aos poucos se aquieta. O teto de seu quarto parece desmanchar bem diante de seus olhos. Os detalhes começam a desaparecer devagar. E é como se um sono incontrolável tomasse conta de todo o seu ser. A dama negra do Tejuco vai apagando lentamente. Sem um gemido nem uma queixa. A respiração fica mais difícil, mas ela não luta para aspirar. Deixa que a vida a abandone. Sem imagens. Sem pensamentos. Sem saudade. Sem lágrimas. As pálpebras de seus olhos, pesadas, se fecham. Para sempre.

Nesse fevereiro de 1796, dezesseis anos depois da morte de seu desembargador, Chica da Silva descansa e, finalmente, se despede da vida. Livre de alarde ou lamentações. Tal como viveu a vida, naturalmente. É como se, com seu fim, fosse embora todo vigor do próprio Arraial do Tejuco, um lugar que no auge do garimpo diamantino recebeu mais gente do que qualquer outro daquelas Minas Gerais. Não havia aventureiro que deixasse de tentar a sorte por lá, mesmo sabendo que a prospecção era permitida apenas aos contratadores e que garimpar por conta própria era um risco tremendo. Uma afronta à própria Coroa. Um lugar onde havia inconfidentes dispostos a desafiar o Reino, só que de uma forma bem diferente do que a dos garimpeiros isolados. O Tejuco foi um centro de grande importância, inclusive para a vida social da Colônia, quando ali conviviam João Fernandes e sua mulher, a que nunca foi esposa, mas conquistou o direito de assim ser considerada, a ponto de merecer – mesmo sozinha – grande reconhecimento público.

Foi a moradora mais marcante do arraial, não obstante sua origem e cor. Saiu da senzala para a opulência. Quase instantaneamente, a considerar o lento passar do tempo naquela época. Mais do que simples riqueza, teve imenso destaque na sociedade. E sua particular influência fica bem transparente nas cerimônias fúnebres que lhe oferecem. A ela são prestadas as últimas homenagens com pompa e circunstância. O velório é em sua própria casa, que permanece aberta à visitação de quem queira vê-la, a Chica que manda. Pela última vez o casarão se enche de pessoas. Sem ares de festa, mas com intensa participação de todos os que, antes, jamais haviam entrado no solar majestoso da rua da Ópera. Quem a conhecia e as pessoas que só haviam tomado conhecimento de sua história, sem nunca ter cruzado com ela ou privado de sua hospitalidade, aparecem para lhe oferecer uma oração ou apenas para ter a oportunidade de andar pelas dependências da casa por onde tantas autoridades da Colônia e do Reino foram recebidas com todos os requintes de elegância a que o desembargador se habituara e, pouco a pouco, havia ensinado a mulher a seguir. Embora tão arisca e voluntariosa, ela foi uma aluna atenta a tudo o que seu amor lhe dizia, sem nada impor.

A dama negra do arraial é transportada, no dia seguinte, para uma missa de corpo presente, um privilégio concedido apenas a quem tem relevância ímpar na comunidade. A cerimônia é demorada, tem a presença de todos os padres e dos fiéis que com ela compartilharam trabalhos ligados à igreja. No sermão, suas virtudes são destacadas, bem como a dedicação aos herdeiros, divididos entre Brasil e Portugal. Entre seus filhos, muitos têm relevo e brilho próprio. O sepultamento dos restos mortais de Chica da Silva é no interior da igreja da Irmandade de São Francisco de Assis, à qual ela pertencia, embora fosse um núcleo de brancos abastados. Só estes, aliás, tinham o direito de manter tumbas ali dentro. De alguma maneira, é oferecido a ela certo branqueamento, ainda que póstumo, embora jamais tenha ocultado sua origem. Assim, depois da morte, garante um lugar em um meio onde sempre viveu. Mesmo depois de ficar sozinha. Mesmo sem nunca ter se casado oficialmente. Mesmo sendo mãe de uma grande prole só legitimada pelo pai tardiamente.

Chica da Silva deixa sua marca no sertão das Minas Gerais. Indelével. Resistente ao passar do tempo. Muitas vezes mal-entendida e registrada com preconceito. Em especial nos escritos conservados no Reino, mesmo depois da Independência do Brasil. Para a visão colonialista, ela permaneceu uma doidivanas capaz de manter cativo – na certa por efeitos de bruxaria – um homem do nível do desembargador. Seus detratores nunca levaram em conta o fato de ela ter vivido sozinha durante mais de uma década sem perder a chama de autoridade que a caracterizava nem fazer nada que a diminuísse aos olhos de quem vivia à sua volta no Arraial do Tejuco. Manteve o porte, a dignidade e a relevância. Com direito a se tornar personagem histórica em seu país. Um exemplo muito transparente do que acontecia na época em que viveu, quando escravos conseguiam a alforria sem contar com leis favoráveis para livrar-se definitivamente dos grilhões. Para além da liberdade, da riqueza e do reconhecimento. Um paradoxo, porque, apesar de toda a pompa que a cercou, o preconceito de cor se manteve. Sem que ela mesma, altiva e independente, se curvasse. Era a liberdade em pessoa.

Posfácio

Falar sobre a forma como exigimos ser tratadas ainda é necessário. São tantos os avanços e os destaques das mulheres, mas mostrar com firmeza que exigimos respeito ainda é tarefa árdua. Parece primário, mas é cada vez mais essencial.

Temos muito de Chica da Silva nas mulheres que nos transformamos desde o século XVIII até aqui, com mudanças expressivas do lançamento deste livro em 2016 até hoje, transformações que muitas vezes parecem rápidas, mas que foram sonhadas há muitos séculos.

Vivemos batalhas, nos fortalecemos, mas a sensação de que ainda há muito a ser feito não diminui e o sinal de alerta está sempre piscando. Mudar dá trabalho, ter coragem de se aceitar por completo também, e nisso Chica da Silva nos trouxe um belo exemplo, acreditou em sua essência, se alimentou de coragem nos piores momentos, mesmo quando a personalidade forte lhe rendia a pior fama, o pior tratamento.

Não podemos e nem deixamos nossas questões em mãos alheias. Nós, mulheres, entendemos e lutamos por nossas demandas e isso passa por inúmeras questões, que vão além da árdua tarefa de conscientizar homens moldados pelo machismo, ou criar meninos com olhos capazes de enxergar a igualdade humana, seja qual for o gênero, etnia, nacionalidade e por aí vai. Se um problema nos atinge e se isso gera dor e insatisfação há séculos, este problema não é só nosso e sim de toda a sociedade, incluindo homens que lutam por um mundo melhor, mais plural e mais justo para todos.

Perceber a quantidade de energia que gastamos ainda hoje para que o mundo nos enxergue com respeito assusta; aquele mesmo respeito que parece batido, que todos já deveriam ter entendido, mas que precisa ser lembrado a todo momento. A cada dificuldade podemos voltar à ideia de força, destemor e altivez de Chica da Silva, ferramentas que precisam ser usadas nas batalhas atuais que ganham inúmeras questões.

Hoje, em 2021, quando ampliamos o debate sobre o bem-estar da mulher gorda e da muito magra, da crespa e da lisa, da lésbica e da hétero, da velha, da latina, da trans, da indígena, da negra, da adolescente, de todas as mulheres e em todas as nuances que compõem o universo feminino, exaltamos o sentimento de aceitação e transmitimos um posicionamento que foi construído durante muitas e muitas gerações. Não aceitaremos menos do que respeito, porque nos aceitamos e nos valorizamos do jeito que somos.

Nesta caminhada, todos nós, homens e mulheres, já tivemos tempo para aprender que a união dos opostos e a valorização do diverso são provas do avanço e da evolução do mundo.

Joyce Ribeiro

Bibliografia

ALGRANTI, Leila Mezan. *Honradas e devotas: mulheres da Colônia* (Estudo sobre a condição feminina através dos conventos e recolhimentos do Sudeste – 1750-1822). Tese de doutoramento apresentada ao Departamento de História da Faculdade de Filosofia, Letras e Ciências Humanas da Universidade de São Paulo. Orientador: Prof. Dr. Fernando Antônio Novais. (pág. 24). Disponível em <http://www.pagu.unicamp.br/pf- pagu/public- files/arquivo/69_algranti_leila_mezan_termo.pdf>.

ALMEIDA, Marcos Abreu Leitão de. *Ladinos e boçais: o regime de línguas do contrabando de africanos* (1831-c.1850). Orientador: Jefferson Cano. Disponível em <http://www.bibliotecadigital.unicamp.br/document/?code=000850403>.

ARRUTI, José Maurício Andion. *O pecado colonial e o recalque da mestiçagem*. Disponível em <http://www1.folha.uol.com.br/fol/brasil500/zumbi_31.htm>.

BIBLIOTECA NACIONAL. *Escravidão no Brasil*: *uma pesquisa na coleção da Biblioteca Nacional*. Disponível em <http://bndigital.bn.br/projetos/escravos/introducao.html>.

CORREIA, Patricia Cardoso. Cronologia Marquês de Pombal (1699-1782). Disponível em <http://www.instituto-camoes.pt/revista/revista15s.htm>.

FONSECA, Claudia Damasceno. Docente da Université Sorbonne Nouvelle, Paris 3, e pesquisadora do Creda (Centre de Recherches et de Documentation des Amériques). *Urbs* e *civitas*: *a formação dos espaços e territórios urbanos nas minas setecentistas*. Disponível em <http://www.scielo.br/scielo.php?script= sci_arttext&pid =S0101-47142012000100004>.

FURTADO, Júnia Ferreira. *Chica da Silva e o contratador dos diamantes. O outro lado do mito*. São Paulo: Companhia das Letras, 2003.

GERAEIS, Vítor Hugo. *A história da escravidão negra no Brasil*. Disponível em <http://www.geledes.org.br/historia-da-escravidao-negra-brasil-2/#axzz3agMPY4tm>.

NAVA, Pedro. *História da medicina no Brasil*. (Pág. 153). Disponível em <https://books.google.com.br/books?isbn=8574802123>.

OLIVEIRA, Amanda Melissa Bariano de. Universidade Estadual de Maringá. *Ação educacional jesuítica no Brasil Colonial*. Disponível em <http://goo.gl/IRRcTJ>.

PEREIRA, Júlio Cesar Medeiros da Silva. *À flor da terra: o cemitério dos pretos novos no Rio de Janeiro*. Disponível em <https://goo.gl/n9iG7x>.

SANTOS, Joaquim Felício dos. *Memórias do Districto Diamantino da comarca do Serro Frio*. Província de Minas Geraes. Disponível em <http://goo.gl/9X9Ze0>.

SOUZA, Carlos Fernandes Marthias de. *Escravatura no Brasil: a Escravidão e o Direito: organização Internacional do Trabalho*. Disponível em <http://www.oit.org.br/sites/all/forced_labour/brasil/.../trabalho_escravo.doc>.

SOUZA, Daiane. *A cronologia da luta pelo fim da discriminação racial no país*. Disponível em <http://www.palmares.gov.br/?p=9513>.